自 由

贝克特作品选集 2

［爱尔兰］萨缪尔·贝克特 著

自 由

方颂华 译

湖南文艺出版社·长沙

SAMUEL BECKETT
ELEUTHERIA

ⓒ 1995 by Les Éditions de Minuit
根据午夜出版社 1995 年法文版翻译
并获简体中文版出版授权

告读者

　　萨缪尔·贝克特并不愿意出版《自由》①。这是他第一部用法语写就的剧本,在20世纪40年代末。1950年,我先了解的是他的三本小说:《莫洛伊》《马龙之死》和《无法称呼的人》。但是自第二年起,他给我看《自由》和《等待戈多》。如果说他欣然接受在1952年出版他的后一部戏剧——而且罗歇·布兰此后紧接着又将它在巴比伦剧院公演——但他反对出版《自由》,包括任何形式的表演。萨缪尔·贝克特对他的旧作始终保持严谨的态度,曾经有一部作品,他本人起初认为不适合出版,在朋友的坚持下,才最终经修正而后付印。就这个角度来看,《自由》是唯一一本他终其一生没有改变过态度的作品。在离世前不久,他还对身边的人说到过这个剧本,话题是由出版他的全集引起的:"无论如何,请不要

---

① 书名原文为 Eleutheria,源自希腊语。

收《自由》。"

当然,他不至于会有否认这一劳动存在的念头。研究贝克特的专家们将阅读文章的乐趣留给了读者,自己却全身心地寻找着作者在所经之处留下的不同稿本、手迹和各类遗留物,他们是有权到午夜出版社,或者到达特茅斯学院(美国)和雷丁大学(英国)的档案馆去查询原稿的。贝克特也同样授权过《美学杂志》,在一期他的专刊上发表了这部作品的节录。但他始终希望他的朋友们注意,不要让人将这部作品以完整的形式介绍给读者,他本人在生前认为这是一部不成功的戏剧,而在他去世后,我所认识的研究他作品的真正行家也均持同样看法。

其中并不包括巴尼·罗塞特。作为美国格罗夫出版社的社长,他在三十多年时间里,首先出版了萨缪尔·贝克特法文著作的英译本,而后当作者偶尔又开始用英文写作时,又出版了那些原本就以英语写成的作品。可惜的是这位独立出版人有一天不得不将出版社的经营权转让给一位新的业主,在 1986 年他被后者辞退。

七年过去了。萨缪尔·贝克特于 1989 年 12 月 22 日辞世。1993 年 3 月,我收到一封来自巴尼·罗塞特的信函,请我通过合同,授权他的新出版社"蓝月"在美国出版《自由》，而他已经请斯坦·贡塔尔斯基着手翻译此作品。巴尼·罗塞特通过他下面的陈述为其行为寻求依据。1986年他在格罗夫出版社遭到排挤时，曾来巴黎寻求过萨缪尔·贝克特的帮助。据称后者当时给了他一份《自由》的打印稿，允许蓝月出版社据此出书。这一言论与据我所知作者本人曾多次表示过的意愿相互抵触，我在震惊之余，首先注意到的是，对于据称由萨缪尔·贝克特委托他的这项使命，巴尼·罗塞特用了一段漫长的时间去考虑履行它。（"这件事我有好几年都没有想起来"，他后来对《纽约观察者报》的马修·弗莱姆如是回答，而后者向他提出了同样的质疑。）此外，由于他说过他与萨缪尔·贝克特之间从未中断过信件的来往，我便请他向我出示谈到这一出版计划的信件。但是这样的信一封也没有。我可以轻易地得出结论，这些所谓的往事基本上是他想象的滞后产物。与作者继承人取得完全一致的意见后，我告诉他我很遗憾地拒绝提供他所需要的授权。

我以为事情就这样了结了。但我错了，第二年他又重提此事。这次他不但坚持想出版这本他认为处处"精妙无比"的作品，还附带了将其搬上舞台的构思，他采用的是阿尔贝特·贝尔梅尔的新译本（斯坦·贡塔尔斯基的译本可能在此期间被认为无法出版）。巴尼·罗塞特想在 9 月份组织一个对这部剧本的大众阅读活动，以此作为开端。但是，在我拒绝向他授权的情况下，举办这次公众活动的阅览大厅管理者只得取消计划，阅读活动改为了非公开的性质。至于巴尼·罗塞特为上演戏剧觅到的诸多纽约监制，当他们通过媒体得知授权遭到拒绝时，便纷纷弃之而去。

巴尼·罗塞特并未因此放弃。在 11 月的时候，他给我寄来一份书单为证，隶属于福克斯罗克出版社的四墙八窗出版社——这一社号是他在某种情形下设立的——宣布即将在自己的书店里推出《自由》一书。我马上提请出版商、发行商和译者注意，督促他们不要对一项从司法上讲不合乎法规、从道义上讲不尊重作者的行为提供援助。

到了 12 月，巴尼·罗塞特的律师直接给我来了封信，试图让我改变立场。我提醒他，作为萨缪尔·贝克特的遗嘱执行者和文学研究者，我显然只能尊重他的意愿。我是他的第一位也是最主要的出版人——如果《自由》这个剧本应该出版的话，它早已由午夜出版社出版多时了。

今年 1 月 10 日，《村声》杂志上发表了一篇文章，再次提到福克斯罗克四墙八窗出版社出版本书的事情，但这次的译本是迈克尔·布罗茨基的。巴尼·罗塞特强调，在这件事情上他仅仅是出自道义的动机，为了证明他的大公无私，他决定将《自由》以一种非商业的形式出版。按他的话说，书将免费赠送给对之期待已久的不幸的大学研究人员。

……唉！两天之后，在《出版人周报》上又出现了一则付费的声明，使得这件事情重回原来的起点：《自由》每本的售价将是20美元（106法郎）。

事到如今已经很明白了，巴尼·罗塞特最终实现了他的计划。通过法庭攻击他、要求制裁和审查都已失去意义。1993年他事先宣称萨缪尔·贝克特本人委托过他出版这部剧作的译本，这一所谓的证据已被他遗忘。我们只能说在缺席良久后，可以以此满足失望的读者们的好奇心。事实上，对于那些所谓的潜在读者群，他们与其说是想最终了解一套极少有人读全的全集中缺失的一小部分，不如说更多是被学术界的媒体战所吸引。期待的不是文学作品，而是引起丑闻的对象。

我们是珍视友情条约的人。我们相信在同一作者的两部作品中，会存在着根本性的差别，正因为作者本人认为其中一部完美，而另一部存在缺陷。我们应该让那些显然持反对意见的人获胜吗？在我们看来，自有人出版了并非出于萨缪尔·贝克特本人之手的《自由》英语版之日起，首先以原语言出版这部作品就成了当务之急。

在我写下这篇《告读者》之际，我还不知道美国人是以何种形式认识《自由》的。我们的这次出版虽然并非出于萨缪尔·贝克特本人的意愿，但它是原封不动地由作者本人写就。请喜欢那三十本在作家生前出版的佳作的人们原谅我们吧。自然还会有一些新的读者，他们以前不曾读过萨缪尔·贝克特的作品，可能会从《自由》起步。我企望他们不要仅仅停留于此。

热罗姆·兰东
1995年1月23日

在前两幕中，这部剧作采用了两处不同场地并存的布景方式，并以此展开了两个同时进行的剧情，即主要剧情和次要剧情，后者除了几句简短的独白之外，在表演方面仅限于单一人物没有明确目的的行为和动作。实际上，这与其说是一幕剧情，还不如说是一道风景，常常空无一人。

正文只涉及主要剧情。次要剧情仅针对表演者，并局限在下述说明的范围内进行。

关于布景和次要剧情的说明。

在前两幕中，舞台上并存着两处在真实空间中相距遥远的所在，即维克托的卧室和克拉普家小客厅的一角，后者在舞台上仿佛被前者所包围。两处场景之间没有隔板隔离。在不知不觉中，维克托的房间过渡到克拉普家的客厅，同时也是肮脏渗入洁净、杂乱混入舒适、宽敞夹杂拥挤的过渡。在整个舞台的范围内，作为背景的墙和地板都是一样的，但是从维克托的房间到克拉普家客厅的转变，显得与环境越来越协调、适宜，就像深水变港湾一样。因此在舞台的平面上，呈现的是一种二元的空间，这并不单指一种转变的效果，更主要的在于，维克托的卧室占据了舞台的四分之三，而两种不同的家具布置凸现出明显的不和谐：在维克托的房间里，除了一张折叠式铁床别无其他；在克拉普家的客厅里，则有一张很典雅的圆桌、四把古式椅子、一盏落地灯和一盏壁灯。

日光的照明对于两边来说是相同的（在作为背景的墙中央有一扇窗户）。但每一侧都有各自的人工照明，维克托房间这一侧（第二幕和第三幕），是配玻璃者提供的灯泡；克拉普家的客厅这一侧（第一幕和第二幕）则是落地灯，在第一幕的最后部分，落地灯关上后只有壁灯仍在照明。

每一侧都有自己的房门。

在每一幕中，维克托的房间都在变换着角度，从观众席上来看，第一幕中，它是处于包在其内部的克拉普家客厅的左侧，第二幕中变成了右侧，而在这两幕中，主要剧情都发生在右侧。这也说明了为什么在第三幕中没有次要剧情,克拉普家的那一侧已经随着舞台布景的变化陷进墓穴中。

主要剧情和次要剧情决然不会相互影响,甚至几乎没有相互论及。当两侧人物的动作互相靠近时,他们会被只有他们能看得见的隔栏隔开。但这并不妨碍有时他们几乎要互相触及。在前两幕中的次要剧情应该以最大可能节制地表演。在大部分的时间里,这只是一道风景和一个仿佛凝滞的人物。只有很少的不得不然的功能性改变,如第一幕中卡尔太太的进入和维克托的离开,第二幕中维克托的进入和离开,两句仅有的台词(第一幕中卡尔太太的话,第二幕中雅克的话)像被风吹拂,飘进一直飘动着话语的主要剧情中。

次要剧情第一幕发生在维克托的卧室里,第二幕发生在克拉普家的客厅里。

次要剧情。第一幕。

维克托躺在床上,静卧不动。不必让观众立刻看到他。他开始挪动身体,坐在床边,起身,来回踱步,只穿着袜子,朝各个方向走动,从窗户到舞台的成排脚灯,从房门到与主要剧情之间隔着的看不见的隔栏,缓慢地,没有明确的目的，常常停下来，朝窗外望去，或朝观众席望着，又转身坐在床边，重新躺下，静卧不动，继而开始挪动身体，再次起身，重新开始踱步，等等。但他更多的是一动不动或在原地挪动，不常起身走动。他的动作常常没有明确的目的，但依然遵循着清晰的节奏和图案，以至于人们几乎可以不去看他，就可以知道他所处的状态。

在某一刻，即克拉普太太刚到达的时间，卡尔太太上场并说道："您母亲。"维克托正坐在床上。沉默。他起身，寻找着某物（他的鞋子），没有找到，只穿着袜子离开。房间空无一人。越来越暗。维克托大约五分钟后回来，又继续他的程序。当克拉普先生和雅克两人在主要剧情中独处时，他应该一直躺在床上静卧不动。

次要剧情。第二幕。

长时间空无一人。雅克上场。他来来回回，下场。重新空无一人。雅克上场。他来来回回，下场。人们感到他在想他的主人，他多次轻轻触动着主人的皮椅。重新空无一人。在某一刻，即维克托刚刚到达的时间，雅克引他进入。维克托坐在他父亲的皮椅上，在落地灯的光线下。维克托长时间静坐不动。雅克入:"先生可以过来了。"维克托起身并下场。直到落幕,一直空无一人。

人物表

亨利·克拉普先生。
亨利·克拉普太太。
维克托·克拉普,他们的儿子。
梅克太太,克拉普家的朋友。
安德烈·比乌克大夫。
安德烈·比乌克太太,克拉普太太的妹妹。
奥尔加·斯昆克小姐,维克托的未婚妻。
一个配玻璃的人。
米歇尔,他的儿子。
一个观众。
楚奇,中国刑吏。
雅克,克拉普家的男佣。
玛丽,克拉普家的女佣,雅克的未婚妻。
托马,梅克太太的司机。
约瑟夫,打手。
提词人。

地点:巴黎。
时间:连续三个冬日的下午。

第一幕

克拉普家小客厅的一角。

一张圆桌,四把古式的椅子,一把大的皮椅,一盏落地灯,一盏带有灯罩的壁灯。

一个冬日里下午将过的时候。

克拉普太太坐在桌子前,静坐不动。

敲门声。沉默。敲门声又起。

克拉普太太:(惊跳了一下)进来。(雅克上场。他向克拉普太太呈上一个托盘,盘上放着一张名片。她拿起名片,端详着,又放回托盘)嗯?(雅克不解)嗯?(雅克不解)您可真够糊涂的!(雅克低下头)我想我对您说过,除了梅克太太,我是不见任何人的。

雅克:是的,太太,可来访的这位太太是太太的妹妹,所以我想……

克拉普太太:我的妹妹!

雅克:是的,太太。

克拉普太太：您可真够无礼的。（雅克低下头）给我看看那张名片。（雅克又呈上托盘。克拉普太太重新拿起名片）我妹妹什么时候叫比乌克太太的？

雅克：（不安地）我想……

克拉普太太：您想？

雅克：太太请把名片翻过来。（克拉普太太翻过名片看了起来）

克拉普太太：您怎么不立刻对我说清楚？

雅克：请太太原谅我。

克拉普太太：别这么卑躬屈膝的。（雅克沉默）想想您的工会。

雅克：太太开玩笑。

克拉普太太：让她进来吧。（雅克向外走）把玛丽叫过来。

雅克：是的，太太。（雅克下场。克拉普太太静坐不动。雅克入）比乌克太太。（比乌克太太急入。雅克下场）

比乌克太太：维奥莱特！

克拉普太太：玛格丽特！（两人拥抱）

比乌克太太：维奥莱特！

克拉普太太：你要原谅我没站起来。我有点不舒服……不过问题不是太大。你坐。我以为你在罗马呢。

比乌克太太：（坐下）你的脸色可真不好！

克拉普太太： 你也不是神清气爽的啊。

比乌克太太： 那是旅途的疲劳。

克拉普太太： 这个比乌克（她看着名片），他是谁？

比乌克太太： 他是个医生。

克拉普太太： 我没问他做什么。（敲门声）进来。（玛丽上场）您可以上茶了。

玛丽： 是的，太太。（她向外走）

比乌克太太： 不用给我上。

克拉普太太： 玛丽！

玛丽： 太太？

克拉普太太： 等梅克太太来您再上茶吧。

玛丽： 是的，太太。（她下场）

比乌克太太： 你就不给我来点别的？

克拉普太太： 比方说？

比乌克太太： 一杯波尔图甜酒。

克拉普太太： 现在是用茶的时间。

比乌克太太： 亨利怎么样？

克拉普太太： 不好。

比乌克太太： 他怎么了？

克拉普太太： 我不知道，他小便有问题。

比乌克太太： 是前列腺的毛病。

克拉普太太： 这么说，你结婚了。

比乌克太太： 是的。

克拉普太太： 像你这种年纪！

比乌克太太： 我们相爱。

克拉普太太： 这有什么相干？（比乌克太太沉默）但是你应该……我是说……你不该再……总之……比方说……

比乌克太太： 还没有。

克拉普太太： 祝贺你。

比乌克太太： 他想要个孩子。

克拉普太太： 不！

比乌克太太： 是的！

克拉普太太： 这是疯狂的举动。

比乌克太太： 维克托怎么样？

克拉普太太： 还是老样子，总是在那儿，在他的窝里。一直都见不到他。（停顿）不说他了。

比乌克太太： 你在等梅克太太？

克拉普太太： 急着见她。

比乌克太太： 这个老巫婆。

克拉普太太： 你不想见到她？

比乌克太太： 我宁可不见到她。

克拉普太太： 可是，她喜欢你呢。

比乌克太太： 你以为！那是做戏。

克拉普太太： 是的，有可能。（停顿）我时不时地会请她过来。

比乌克太太： 那么，我走了。（她站起身）

克拉普太太： 你丈夫不和你在一起？

比乌克太太：（重新坐下）啊，我急着想让你见到他呢！他性格温和，聪明能干，他……

克拉普太太： 他不和你在一起？

比乌克太太： 他在酒店里呢。

克拉普太太： 哪个酒店？

比乌克太太： 我不知道。

克拉普太太： 那你什么时候能知道？

比乌克太太： 他要到这儿来接我的。

克拉普太太： 什么时候？

比乌克太太： 嗯，大概还有半个钟头吧，我想。

克拉普太太： 那么，你就不能离开。

比乌克太太： 我可以到大客厅里去等他。

克拉普太太： 他是做哪一科的大夫？

比乌克太太： 他不是专门做哪一科的。也就是说……

克拉普太太： 他什么都干。

比乌克太太： 他关心的是人道。

克拉普太太： 他在哪儿横行霸道呢？

比乌克太太： 他希望能在这儿安家。

克拉普太太： 那到现在为止都在哪儿呢？

比乌克太太： 四海为家。

克拉普太太： 真不值得为你庆祝。（她伸出一边脸的脸颊，比乌克太太上前亲吻了一下）你该早对我说。

比乌克太太：我本来想给你发封电报，可安德烈对我说……

克拉普太太：总之，这一切都不重要。（敲门声）进来。

雅克上场。

雅克：梅克太太。（梅克太太上场，她身材臃肿，穿着厚重的裘衣、披风，提着雨伞、手袋等。雅克下场）

梅克太太：维奥莱特！

克拉普太太：让娜！（两人拥抱。梅克太太坐下，脱去外衣，整装）对不起我起不了身。

梅克太太：你还一直不舒服啊？

克拉普太太：越来越糟糕。你认识我妹妹吧。

梅克太太：（转身看比乌克太太）可不是，是罗丝呀！

克拉普太太：不，是玛格丽特。

梅克太太：我亲爱的玛格丽特！（伸出手，比乌克太太与她握手）哪阵风把您吹来了？我以为您在比萨呢。

克拉普太太：她结婚了。

梅克太太：结婚了！

克拉普太太：和一个关心人道的医生结婚了。

梅克太太：让我亲亲您。（比乌克太太让她亲她）结婚了！啊！（以一种难以形容的动作）我真是太高兴了！

比乌克太太：谢谢。

梅克太太：他叫什么？

克拉普太太：（看着名片）比乌克，安德烈。

梅克太太：（欣喜状）安德烈·比乌克太太！

敲门声。

克拉普太太：进来。（玛丽上场，将一个放着茶具的托盘摆在桌上）先生回来了吗？

玛丽：没有，太太。

克拉普太太：让雅克过来。

玛丽：是的，太太。（她离开）

比乌克太太：（对梅克太太）您不觉得我姐姐脸色不好吗？

梅克太太：脸色不好？

克拉普太太倒了杯茶递给妹妹，妹妹拒绝了。

克拉普太太：她更喜欢波尔图甜酒。

梅克太太：波尔图甜酒？现在才五点钟啊！

克拉普太太：她说得对。我很憔悴。

比乌克太太：是什么地方不舒服？

敲门声。

克拉普太太：进来。（雅克上场）啊，雅克。

雅克：太太。

克拉普太太：先生回来了吗?

雅克：还没有,太太。

克拉普太太：他回来时,您告诉他我有话要和他说。

雅克：是的,太太。

克拉普太太：您可以把灯打开。

雅克：是的,太太。(他把落地灯打开)

克拉普太太：把那盏灯也打开。

雅克：是的,太太。(他把壁灯打开)

克拉普太太：好了。

雅克：是的,太太。(他下场)

梅克太太：他怎么样?

克拉普太太：谁?

梅克太太：亨利。

克拉普太太：不好。

梅克太太：哦。

克拉普太太：他小便不通。

梅克太太：哎哟!

比乌克太太：前列腺的毛病。

梅克太太：可怜的人。他曾经那么开心,那么……

克拉普太太：后来他就受折磨了。

比乌克太太：这是不可避免的。

克拉普太太：是因为维克托。

梅克太太：对了，他到底怎么样？

克拉普太太：谁？

梅克太太：你的维克托。

克拉普太太：我们别说他了。

梅克太太：我也是，我也不好。

比乌克太太：您怎么了？

梅克太太：小腹。小腹有下坠感。

克拉普太太：和我一样。区别在于我的已经下坠了。

比乌克太太：这屋子里没什么酒可喝吗？

克拉普太太：喝酒？

梅克太太：大下午的！

比乌克太太：亨利小便不通，维克托提都不能提，而您，您又有个在下坠的小腹。

克拉普太太：而你，你结婚了。

梅克太太：这算是喝酒的理由吗？

克拉普太太：什么也算不上。

梅克太太：我们的小维克托！多可怕的事啊！他曾经那么开心，那么生机勃勃！

克拉普太太：他从不开心，也从不生机勃勃。

梅克太太：什么？！他可曾经是一家的灵魂，在好几年里都是这样。

克拉普太太：一家的灵魂！你说的是麻烦吧。

比乌克太太：圣婴耶稣小巷①还在吧?

克拉普太太：让娜看什么都是生机勃勃、开心快乐的。这是一种长期以来的幻觉。

比乌克太太：圣婴耶稣小巷还在吧?

克拉普太太：一直都在。

比乌克太太：要让他振作起来。

克拉普太太：他再也起不来了。你还要一杯吗?

梅克太太：半杯吧。他再也起不来了,你说?

比乌克太太：他生病了?

克拉普太太：他什么事都没有。

梅克太太：那么,你怎么说他再也起不来了?

克拉普太太：他时不时地出去走走。

梅克太太：因此他时不时地起来。

克拉普太太：那是在他没有吃的时候。于是他就在垃圾箱里找啊找。他一直能走到帕西②去。门房在那儿见过他。

梅克太太：想想看,帕西的垃圾箱!

比乌克太太：真可怕。

---

① 巴黎 15 区的地名,以附近的圣婴耶稣医院(后称儿童病医院)得名。

② 巴黎 16 区的地名。

克拉普太太：可不是。

比乌克太太：你给他钱吗？

克拉普太太：每个月都给。我亲手交给他。

比乌克太太：那么他是怎么花的？

克拉普太太：我不知道。可能给的钱不够吧。

亨利·克拉普先生上场。

克拉普先生：晚上好，让娜。嗨，玛格丽特。（两人拥抱）我以为你在威尼斯呢。

克拉普太太：你太太也在呢。（克拉普先生亲吻他的太太）她结婚了。

梅克太太：和一个医生。

克拉普太太：喜欢人道的医生。

克拉普先生：（忧伤地）恭喜。

克拉普太太：坐吧。

克拉普先生：哦，我不待在这儿。

克拉普太太：走什么，瞧你。

克拉普先生：你当真啊？（艰难地坐在皮椅上）我错了。（陷在椅中）我再也起不来了。

克拉普太太：别说蠢话。

克拉普先生：我的自由一天比一天少。我很快就连张嘴的权利都没有了。我本来想在死之前都胡说八道的。

梅克太太：他怎么了？

克拉普太太：他尽量地在放松自己。

克拉普先生：是的，现在我已经习惯了，现在已经太晚了。*Nimis sero, imber serotinus.*① 和平是属于奴隶的。（停顿。梅克太太做了个鬼脸）我是一头被带到屠宰场栅栏前的牛，这时我懂得了牧场的一切荒谬。这头牛应该早就想到这些，在茂盛温暖的草里就该想到这些。活该。它始终可以越过农场的院子。这个，没人能阻止它。

克拉普太太：别当真。他以为他在作法呢。

克拉普先生：我是在作法。第九重境界了。（换了种语气）啊，玛格丽特，你是一个可敬的女人。

比乌克太太：过奖了！

克拉普先生：恭喜你。

克拉普太太：你已经恭喜过她了。

克拉普先生：确实。

比乌克太太：亨利。

克拉普先生：是。

比乌克太太：我想喝点酒。

克拉普先生：当然。（对克拉普太太）去按铃。

克拉普太太：你知道我起不来。

---

① 拉丁文，意为"太晚了，雨下得太晚了"。

克拉普先生：是的。不过，这没关系。他自己会来。

克拉普太太：别太指望他。我们已经在这儿安安静静待了三分钟了。

克拉普先生：那么，玛格丽特，如果你愿意，麻烦你自己去按铃吧。

比乌克太太站起身，按了铃，重新入座。

克拉普太太：昨天，他有整整一刻钟都不过来看一下。我以为他死了呢。（敲门声）进来。

雅克上场。

克拉普先生：我奇怪他为什么总是要敲门。他敲了十五年的门，我们对他说了十五年进来，可他总还是敲门。

梅克太太：这是个改变习惯的问题。

克拉普先生：（对比乌克太太）你要点什么？

比乌克太太：什么都行。波尔图甜酒。

克拉普先生：（对雅克）波尔图甜酒。

雅克：是的，先生。（他下场）

沉默。

比乌克太太：我们刚才说到维克托。

克拉普先生：啊。

克拉普太太：有别的话题吗？我自己正在想。

梅克太太：可怜的孩子。

克拉普太太：（粗暴地）你闭嘴！

比乌克太太：维奥莱特！

梅克太太：她怎么了？

克拉普太太：我听人对这个混蛋说同情话都听够了，都有两年了！

比乌克太太：混蛋？！

梅克太太：是你孩子啊！

克拉普先生：已经两年了！才两年嘛！

克拉普太太：（情绪激动到极点）让他离开这个街区，这个城市，这个省，这个国家，让他死在……死在巴尔干人那儿！（敲门声）我，我……

比乌克太太：进来。

雅克上场。

克拉普先生：您要干什么？

雅克：先生按铃了？

克拉普先生：没有。波尔图甜酒。

雅克：马上就好，先生。（他下场）

沉默。

梅克太太：您刚才说？

克拉普太太：我再也不管这事了。（她艰难地起身）我受够了。（艰难地走向房门）够了。（离开）

比乌克太太：她起身原来是这样不便。

梅克太太：她去哪儿？

克拉普先生：（叹了口气）可能是去洗手

间吧。她时不时地要去那儿。

沉默。

梅克太太：您的气色非常好。

比乌克太太：她一点都不严肃。

梅克太太：什么？

比乌克太太：维奥莱特。那是些空话。

梅克太太：当然。再也不管了！她的独子啊！您想想看！

敲门声。

克拉普先生：（声音很低）进来。

梅克太太：一个母亲，这么做！

敲门声又起。

比乌克太太：进来！（雅克端着托盘入。他找放托盘的地方）放在椅子上吧。（他把托盘放在克拉普太太的椅子上）那一把！（他又放到另一把椅子上）您让玛丽来收拾。

雅克：是的，太太。（他下场）

比乌克太太：要是有了用人，就不再有在自己家的感觉了。

梅克太太：可是，用人是必需的。

沉默。

比乌克太太：我很久都没听到消息了。这件事又有什么新发展吗？

克拉普先生：什么事？

比乌克太太：维克托的这件事。

克拉普先生：什么新的东西都没有。

梅克太太：好像他一直走到斯庞蒂尼街，在垃圾箱里翻东西。

克拉普先生：这个可没人对我说过。

比乌克太太：你看上去对此根本不在意。

克拉普先生：真的吗？

梅克太太：对这件事我一点都没弄明白。

克拉普先生：从戏剧的角度看，我太太的缺席不起一点作用。

比乌克太太和梅克太太面面相觑。敲门声。

比乌克太太：哦，进来！（玛丽上场。清理托盘。玛丽下场）您想来点吗？

梅克太太：一点点就可以了。

比乌克太太：你呢，亨利？

克拉普先生：谢谢。

比乌克太太给梅克太太倒酒。

梅克太太：哦，太多了！我会醉的！（饮酒）酒很烈啊！（比乌克太太给自己倒上酒，一口气喝光自己杯中的酒，又倒了第二杯）她太久了。

比乌克太太：什么？

梅克太太：维奥莱特出去得太久了。

克拉普先生：你觉得久吗？

比乌克太太：但得做些什么啊！不能听任他那样。

克拉普先生：哪样？

比乌克太太：这样……这样死气沉沉，龌龊不堪。

克拉普先生：因为他能这么过下去。

比乌克太太：但对家庭来说这是耻辱！

梅克太太：他的年龄不应该这样。

比乌克太太：维奥莱特会被他气死的。

克拉普先生：你不了解她。

沉默。

比乌克太太：（对梅克太太）将军怎么样了？（沉默）或者我该说：元帅怎么样了？

梅克太太掏出手帕。

克拉普先生：瞧瞧，玛格丽特，想想你都说了些什么。

比乌克太太：我不明白。

克拉普先生：穿丧服和着时装之间，还是有微小的区别的。

比乌克太太：哦，可怜的让娜，我不知道，我很悲痛，对不起，对不起。

梅克太太：（从军队传统中汲取力量）他的最后一口气都是为了法兰西。

敲门声。

比乌克太太：有点让人受不了了。

克拉普先生：最好让门开着。或者干脆就不要门了。

敲门声又起。

比乌克太太：进来吧，看哪！

雅克上场。

雅克：比乌克大夫。

克拉普先生：不认识。

比乌克太太：安德烈！（急急地下场）

克拉普先生：谁啊？

梅克太太：她丈夫。

克拉普先生：（对雅克）您看到太太了吗？

雅克：太太出去了，先生。

克拉普先生：出去了！

雅克：是的，先生。

克拉普先生：是步行吗？

雅克：是的，先生。

克拉普先生：她没说她去哪儿？

雅克：太太什么也没说，先生。

克拉普先生：好吧。

雅克下场。

梅克太太："法兰西万岁！"然后就昏过去了。

克拉普先生：他喜欢这样？

梅克太太：我又回想起吕道韦克临终的那一刻。

克拉普先生：然后呢？

梅克太太：他突然坐了起来，喊道："法兰西万岁!"然后又倒下了,开始喘气。

克拉普先生:他能突然坐起来?

梅克太太:是啊,令我们所有人都很吃惊。

比乌克太太和比乌克大夫上场。这是个面目可憎的男子。一段令人尴尬的沉默。互相介绍。比乌克大夫入座。

比乌克太太:来点波尔图甜酒吗,亲爱的?

比乌克大夫:谢谢。

比乌克太太:是"要的谢谢"还是"不要的谢谢"?

比乌克大夫:不要,谢谢。

克拉普先生:您得原谅我没有起身。我有点不舒服……我有点累。

比乌克大夫:您生病了吗?

克拉普先生:要死了。

梅克太太:瞧瞧,亨利,你安静点。

克拉普先生:我只是不想让任何人感到意外。

梅克太太:亨利!

克拉普先生:在我突然坐起来的时候。

比乌克太太:维奥莱特去哪儿了?

克拉普先生:我要是坐不起来可就失礼了。哈哈!哈哈!

比乌克大夫：不管怎么说,来点波尔图甜酒吧。(比乌克太太为他倒酒)

梅克太太：她出去了。

克拉普先生：什么?

梅克太太：玛格丽特问维奥莱特去哪儿了。我对她说她出去了。

比乌克太太：(手里举着高脚杯)出去了!

克拉普先生：是步行。

梅克太太：也没说去哪儿。

克拉普先生：她去不了多久就会回来的。

比乌克太太：她这么对你说的?

克拉普先生：她从来都是出去不多久就回来。

梅克太太：请你们说点实在话。

克拉普先生：为什么?

梅克太太：这样我才能安静地离开这儿。

克拉普先生：我儿子就是实实在在的。

比乌克太太：亨利!

克拉普先生：我没能控制住自己。

梅克太太：(继续她的思路)不想看到她被一辆卡车撞倒,躺在血泊之中。

克拉普先生：是她把卡车给撞翻了。

比乌克大夫：(站起身来)亲爱的……

克拉普先生：亲爱的老公,亲爱的老婆。

比乌克大夫：我们该走了。

克拉普先生：让娜。

梅克太太：亨利。

克拉普先生：你记得我和维奥莱特刚结婚那时候吗？

梅克太太：让我想想！

克拉普先生：在我们学会彼此珍爱之前。

梅克太太：那是段好时光。

克拉普先生：那时我对她说过亲爱的老婆吗？

梅克太太：你们只会偷偷地说情话。

克拉普先生：真是令人难以想象。

比乌克大夫：（依然站着）玛格丽特。

比乌克太太：我来了，亲爱的。

克拉普先生：我太太会伤心的。会很悲伤的。

梅克太太：我也要走了。

克拉普先生：你留下来。

梅克太太：你是说……

克拉普先生：你们看哪，外面在召唤着她，而她努力克制着自己。玛格丽特她这个人只按照自己的喜好做事。这话我不是冲您说的，大夫。

比乌克太太：你让人不开心，亨利。

克拉普先生：（毫无热情地）留下来吃晚饭吧，我们吃冷菜。

比乌克大夫：太客气了。可还有人等着我们呢。

克拉普先生：（对梅克太太，轻佻地）他们可真够急的啊！

梅克太太：你们再耐心等五分钟。

克拉普先生：禁一会儿欲，瞧瞧。

梅克太太：我送你们回去。坐我的德拉奇车。

比乌克大夫：怎么样,玛格丽特？

比乌克太太：听你的，亲爱的。

克拉普先生：越等下去，戏越好看。

比乌克太太：我多希望你……维奥莱特认清你。

比乌克大夫重新坐下。沉默。

克拉普先生：来根烟吧。①

比乌克大夫：谢谢。

克拉普先生：是"要的谢谢"还是"不要的谢谢"？

比乌克大夫：我不吸烟。

沉默。

梅克太太、比乌克太太：（合）我……

梅克太太：哦，对不起。您说什么？

比乌克太太：哦，没什么。您接着说。

---

① 原文为英语。

沉默。

克拉普先生：喂，让娜，说话呀①。

梅克太太：（*考虑之后*）我发誓，我再也不能了。

沉默。

克拉普先生：我自己可没法想那么多，我的器官会承受太多的负荷。（*沉默*）大夫，我要努力和您进行交流。

比乌克大夫：哦，您知道，我不是话很多的人。

比乌克太太：他是那么喜欢思考！

克拉普先生：但是，我刚才所说的话并非全无才思。

比乌克大夫：是一种无意义。

克拉普先生：什么？是一种什么意义？

比乌克大夫：您是您的器官，先生，而您的器官就是您。

克拉普先生：我是我的器官？

比乌克大夫：完全正确。

克拉普先生：您吓唬我。

梅克太太：（*觉得可以做一次免费咨询*）我呢，大夫，我也是我的器官吗？

---

① 原文为"accouche"，有"说话"和"分娩"两重意思。

比乌克大夫：您倒是连点杂质都不带，太太。

克拉普先生：遇上一位有才华的人是多么令人愉快啊！

比乌克太太：（着迷地）安德烈！

克拉普先生：继续，请您继续说下去。展开来说说您的伟大思想。

比乌克大夫：现在不是时候。

克拉普先生：在我太太那堆破旧器官回来之前。

比乌克太太：亨利！

比乌克大夫：请您自重。

克拉普先生：您会强迫我向您咨询的。

敲门声。

比乌克太太：进来。

雅克上场。

雅克：斯昆克小姐。

斯昆克小姐上场，一个诱人的年轻女子。互致敬意，她打招呼时脸色阴沉。雅克下场。

比乌克太太：您还记得我吗？

斯昆克小姐：当然。

比乌克太太：那是在埃维昂，两年前。

斯昆克小姐：我那时候在那儿干什么？

沉默。

比乌克太太：向您介绍我的丈夫，比乌克

大夫。(斯昆克小姐坐在克拉普太太的座位上)

梅克太太：您的气色真好。

比乌克太太：来点波尔图甜酒？

斯昆克小姐：随您的便。

克拉普先生：大夫。

比乌克大夫：(深陷入沉思中，夸张地惊跳了一下)谁叫我来着？

克拉普先生：我在想您在这出戏中将是什么角色。

比乌克大夫：(深思熟虑后)我希望我能够派上用场。

梅克太太：(不安地)我听不懂。

比乌克大夫：您呢，亲爱的先生，您的角色确定下来了吗？

克拉普先生：我的是确定的。

比乌克大夫：可您还在台上。

克拉普先生：似乎是。

梅克太太：我看来是必须走了。

克拉普先生：去吧，我亲爱的让娜，去吧，因为你必须走了。没人需要你。

斯昆克小姐：维奥莱特上哪儿了？

比乌克大夫：(对克拉普先生)要是谁稍微强迫您去干的话，您也许就会在大街上找个闲人开玩笑。

克拉普先生：您觉得是这样？真的这么想？

比乌克大夫：我这么说也是这么想的。

克拉普先生：我以前完全没有感到有这种可能。

斯昆克小姐：维奥莱特上哪儿了？

梅克太太：这有点让人担心了。

克拉普先生：你说什么？

梅克太太：奥尔加问维奥莱特去哪儿了，我说让人担心。

克拉普先生：什么让人担心？

梅克太太：这种超过限度的缺席。

克拉普先生：这种超过限度的缺席！只有让娜能找出这样的词啊。

斯昆克小姐：她去哪儿了？

梅克太太：我们压根不知道。

克拉普先生：鬼知道她怎么心血来潮，她离家外出，还是步行出去的。我们好久都当她是在洗手间里呢。是这样吧，大夫？

比乌克大夫：很仔细。请继续说。

斯昆克小姐：她让我在晚饭前过来。

克拉普先生：她和你说过什么吗？

斯昆克小姐：是的，说到一些不能等下去的事。

克拉普先生：我也是啊，她和我说过什么，好像是这样。此外这是唯一我和你们在一起的理由，你们很容易这么想。但是她还什么都没对我说。

梅克太太：（对斯昆克小姐）你看到维克托了吗？

克拉普先生：是我要和她说话，现在。

斯昆克小姐：上个星期。

克拉普先生：（对比乌克大夫）斯昆克小姐是我儿子的未婚妻。

比乌克大夫：幸运的小伙子。

斯昆克小姐：（带着苦涩）他不再有快乐了。

比乌克大夫点上一支烟。

克拉普先生：我想您是不抽烟的。

比乌克大夫：我骗您的。

梅克太太：我可真得走了。

克拉普先生：你就别再重来那一套了。

梅克太太：怎么办？

克拉普先生：跟这些人在一起浪费时间！走吧。到时候打你电话。

传来很响的说话声。

克拉普先生：咕咕，她来了。

梅克太太：终于来了！

比乌克大夫：（对斯昆克小姐）您是法国人吗，小姐？

斯昆克小姐：不是，先生。

梅克太太：你确定是她？

克拉普先生：我有把握。

比乌克大夫：斯堪的纳维亚人？

敲门声。

比乌克太太：进来。

雅克上场。

雅克：太太请先生过去。

克拉普先生：像是个通知。

梅克太太：太太没事吧？

克拉普先生：您对太太说……（又改变主意）来帮我重新活动身体。（雅克连忙过来，帮克拉普先生站起来，想一直扶着他走到门口。克拉普先生示意他离开。到了门口时，他又转过身来）你们看，一站起来，我就能一个人走路！我出去了！（他下场。他又上场）我回来了！我又出去了！（他下场，雅克跟在身后）

比乌克太太：亨利变了很多。

比乌克大夫：您别对我说您是英国人。

梅克太太：他觉得自己时日无多，就再也控制不住自己了。

比乌克太太：这很不严肃。

比乌克大夫：（泄气地）他是个了不起的人。

比乌克太太：你真这么想？

比乌克大夫：我这么说就是这么想的。

比乌克太太：可是这是从什么角度来说的呢？

比乌克大夫：很难说清。

比乌克太太：这绝对是我头一回听到这样的话。

比乌克大夫：他是做什么的？

梅克太太：（骄傲地）他是个文人。

比乌克大夫：是吗！

克拉普先生上场。他来到他的皮椅旁，小心地坐下。

克拉普先生：有人说了我的好话，我感觉到了。

梅克太太：她没事吧？

克拉普先生：她毫发未损。

梅克太太：她马上过来吗？

克拉普先生：她在准备着呢。

比乌克太太：以前，你可不做作。

克拉普先生：那是借助了什么手段啊！

比乌克大夫：您是作家，先生？

克拉普先生：（恼火地）您怎么会……

比乌克大夫：您谈吐的方式能让人感觉出这一点。

比乌克太太：她刚才去哪儿了？

梅克太太：她会对我们说的。

克拉普先生：我将和你们坦诚相待。我**曾经**是个作家。

梅克太太：他是法兰西研究院的成员！

克拉普先生：您看。

比乌克大夫： 哪种类型？

克拉普先生： 我没听懂。

比乌克大夫： 我说您的文章呢。您爱好的文体类型是什么？

克拉普先生： 狗屎类型的。

比乌克太太： 真的？

比乌克大夫： 是散文还是诗？

克拉普先生： 一天写这个，过一天写那个。

比乌克大夫： 您现在认为您的作品已经完成了。

克拉普先生： 那个上帝让我撤了出来。

比乌克大夫： 您没想过写一本短的回忆录吗？

克拉普先生： 这会让我没法好好地去死。

梅克太太： 您得承认这样对待客人是种奇特的方式。

斯昆克小姐： 极为奇怪。

克拉普先生： 玛格丽特，你和奥尔加换个座位不妨碍你什么吧？

比乌克太太： 我现在的地方很好。

克拉普先生： 我知道。我们现在的地方都很好。非常、非常好。可惜的是，对于我们的自在程度而言，并非如此。

梅克太太： 这又是什么新花样？

克拉普先生：你看，玛格丽特，因为不管看得到你还是看不到你，什么都是要对你说的，因此问题完全不在于此。如果你和我在同一时刻消失，对于我而言，我看不到任何不方便之处。奥尔加，相反，她在我们当中只有展示她的魅力，她才有她的位置，我是想说她的胸部和大腿，因为脸稍微普通了点。

比乌克太太：你就像个不懂事的人，越说越来劲。

克拉普先生：你生气可就错了，玛格丽特。作为你的姐夫，我很喜欢你，非常喜欢，看到你离开我会非常伤心。但作为……怎么说呢……（他捏响自己的指关节）

比乌克大夫：一个解释秘义的祭司。

克拉普先生：如果您这么认为。

沉默。

比乌克大夫：请您把话说完。

克拉普先生：我刚才说什么了？

比乌克大夫：作为姐夫，您喜欢她；作为一个解释秘义的祭司，您……？

克拉普先生：（以一种心力交瘁的语调）我是没家的人。

比乌克太太：他哭了！

比乌克大夫：按他说的做吧，玛格丽特。

比乌克太太和斯昆克小姐换了座位。

克拉普先生：（对斯昆克小姐）把你的紧腰外套解开。腿交叉。把裙子往上翻。（他帮她）好了。别动。

比乌克大夫： 这就是我们所谓的短暂性衰竭。

克拉普先生： 我受它困扰已久。

梅克太太：（爆发）我受够了！

克拉普先生： 我们都受够了。不过问题不在这儿。

梅克太太： 对我来说问题在这儿。（笨重地站起身，收拾她繁多的行头。在她的大包里翻找，最后取出一张卡片，念道）"我必须看到你。明天来喝茶。我有许多的事情要对你说。就我们两个人。"（她等待着这条信息能产生反应）我不喜欢别人拿我开心。

克拉普先生： 人的确是不简单啊。

比乌克大夫： 这是人的本性。

克拉普先生： 在人们没有感到别人拿他们开心时，他们承受了一切。

比乌克大夫： 我们生来就是如此。

克拉普先生： 你还是坐下来吧，我可怜的让娜，这比你犹豫不决地站在那儿、被你的行头压弯了腰强。她占据了舞台的中心，天啊，她其实毫不相干！

梅克太太：（以一种女预言家的口吻）我

只是个老女人，又丑又有病，孤身一人。可是，总有一天你们所有人都会妒忌我的。

沉默。

克拉普先生：说得妙！

梅克太太下场，猛地带上门。

比乌克大夫：她看得远。

克拉普先生：可人不是谁都要妒忌的吗？

比乌克大夫：她也许有您意想不到的作用。

克拉普先生：您不罢休啊，大夫。当心啊！

比乌克大夫：我不拒绝诱惑。

斯昆克小姐：（深深地打了个哈欠）对不起！

比乌克太太：这灯光真可怕！

斯昆克小姐：可是，灯现在没照着您了。

比乌克太太：现在，我看到了灯光。

斯昆克小姐：这是干什么用的，这根铁丝？（她指着一根细长、带刺的铁丝条，沿着桌子腿箍下去，一直拖到地板上）

比乌克太太：铁丝？

斯昆克小姐：（把手放在上面）还带着刺！看。

比乌克太太站起来，从桌子上面往下看。

比乌克太太：我怎么没注意到呢？

比乌克大夫：我妻子对宏观世界不太敏感。

克拉普先生：可她对光线反应强烈。

比乌克大夫：那是因为她真觉得难受。

斯昆克小姐：可是这是什么意思啊？

克拉普先生：那是维克托的位置。

比乌克大夫：是您儿子的？

克拉普先生：是的，现在我确信是这样。

比乌克大夫：他过去有很多座位？

克拉普先生：是的，他以前有很多位置，在这个家里。

斯昆克小姐：我不懂。

克拉普先生：你有什么不懂的，我的小奥尔加？

斯昆克小姐：不懂这个东西（她指着铁丝）怎么和维克托有关。

克拉普先生：什么都要对她们解释。

比乌克大夫：女人就是这样。

克拉普先生：你看，我的小奥尔加，自从维克托走了以后，差不多有两年了，我想……

斯昆克小姐：两年！两年零五个月！

克拉普先生：这重要吗？

斯昆克小姐：总归是啊！

克拉普先生：我可以继续了吗？（沉默）自从这个……呃……这件事之后，我妻子一直想保留——当然从某方面讲也是清除——我们的儿子喜欢的位置，因为我们都有各自喜欢的位置，维克托，我妻子，还有我，在这个房子里，从我能回想起来的时候开始就是这样，而我本人也还保持着我自己的位置。(停顿)这个计划,拖了很久,我不知道为什么,上个星期我妻子动手了,结果就是你们现在所看到的。这只是个开头。很快房间里就会有很多的铁刺。(停顿)除了维奥莱特做的清理之外,还得说一件事,她有一天整整一下午都沉溺于超现实主义的布展上。(停顿)明白了吗?

比乌克大夫:再明白没有了。你们糟蹋了一切。

克拉普先生:大夫,您让我失望。

比乌克大夫:您是指我说了句蠢话?

比乌克太太:他疯了。

克拉普先生:一句极大的蠢话,大夫。因为脸上笑心里就该笑。

比乌克大夫:你说得对,玛格丽特。

克拉普太太上场。

克拉普先生:这样才是实实在在的。

比乌克太太:安德烈,这是我姐姐。维奥莱特,我……

比乌克大夫站起身。

克拉普先生:对不起,我不能站起来。我有点不舒服……

克拉普太太:玛格丽特,你坐了我的座位。

比乌克太太:(迅速站起来)你坐。

克拉普太太坐在她的座位上,比乌克太太

坐在梅克太太的位置上。

克拉普太太： 晚上好,奥尔加。

斯昆克小姐： 晚上好。你想见我来着?

克拉普太太： 是的。这个男的是谁?

比乌克太太： 是我丈夫。(她站起身) 过来吧,安德烈?

克拉普太太： (用力地) 你坐下来!

比乌克太太犹豫着。

克拉普先生： 慎重点。

比乌克太太重新坐下来。

克拉普太太： 看哪……是什么大夫来着……

比乌克大夫： 比乌克。(他身体前倾然后又重新坐好)

克拉普太太： 玛格丽特对我们说您喜欢人道。是这么回事吗?

比乌克太太： 您曲解了我的话。

比乌克大夫： 我不喜欢。

比乌克太太： 他关心。仅此而已。

克拉普太太： 您关心人道?

比乌克大夫： 她不允许我对他人漠不关心。

克拉普太太： 您不是共产党人吧?

比乌克大夫： 我的私生活是我自己的事情。

克拉普先生： 别激化事态,大夫。

比乌克太太： 你刚才上哪儿了?我们开始

为你担心了。安德烈不想等了。但他听我说你是多么想认识他之后……

克拉普太太：问题很棘手。

比乌克大夫：什么问题？

克拉普太太：人道的问题。

比乌克大夫：乍看上去，是这样的。

克拉普先生：思想界的大家们正谋求解决这个问题。

比乌克大夫：我没说过自己比他们高明。

克拉普太太：您的解决方式是什么？

比乌克大夫：我的解决方式？

克拉普先生：用一句话来说。

克拉普太太：（严肃地）您应该有个解决办法，我希望如此。

比乌克大夫：这种方法是不可爱的。

克拉普先生：这是不可避免的。

比乌克大夫：现在是时候吗？

克拉普先生：这是我第一次听某个人让别人求他……

克拉普太太：你闭嘴。

克拉普先生：求他解决人类的处境。

比乌克大夫：我觉得选择了一个错误的时间。

克拉普太太：这跟我们是有关系的。

克拉普先生：尽您的职责吧。

比乌克大夫：嗯，我可能去做的事情是……

克拉普先生：有事情可做？

比乌克大夫：我是有实证精神的人。

克拉普太太：你闭嘴好吗！

克拉普先生：是的，维奥莱特，我很愿意这样。

克拉普太太：您说下去。

比乌克大夫：是这样。我会去禁止繁殖。我要改良避孕套及其他设置，并推广它们的使用。我将建立一些堕胎者的团体，受政府监管。所有犯下生育罪行的女人我都要打击至死。我要把新生儿都溺死。我将为同性恋而战斗并身体力行。为了加速进程，我将尽一切办法推广安乐死，但还不会将它变成一项义务。这些就是总的纲领。

克拉普太太：我生得太早了。

克拉普先生：太早太早了。

比乌克大夫：我并不是想特立独行。这是一个组织方面的问题。因为这个我缩小了范围。两年后，一切都可以到位。可惜的是，我的精力正在衰竭。我可利用的资源也在减少。

克拉普太太：那您想要的那个孩子呢？

比乌克大夫：谁对您说我想要个孩子的？

沉默。

比乌克太太：（对克拉普太太）你真可恶。

克拉普太太：你将要杀死她，大夫。

比乌克大夫：我想要个孩子，第一，用来充实我的空余时间，我的空余时间越来越短，并遭到越来越多的破坏；第二，为了让他从我手上接过火种，当我的手不能再擎着火把时。

克拉普先生：事实上儿子才有这样的好处。

克拉普太太：可是您要杀了她。

比乌克大夫：这个问题我和您妹妹讨论了好久，太太，在我们走到一起之前很久就开始讨论了。是这样吗，玛格丽特？

比乌克太太：你的论述是完美的。

比乌克大夫：一个星期接着一个星期，在那些美妙而又可怕的日子里，在我们决定之前，我们在坎帕拉漫步，手挽着手，要不就是在蒂沃利的露天酒吧，我们向月亮征求着意见，我们的交谈几乎完全是围绕着这个问题，是吗，玛格丽特？

比乌克太太：差不多是唯一的话题，亲爱的。

克拉普太太：（对克拉普先生）你怎么了，怎么在一边冷笑？

克拉普先生：我在想我们征求过意见的那个月亮，你和我的。

比乌克大夫：尽管后来我们订婚了，我们还是度过了一段残酷的时光,就我而言,我再也不想重新经历这些。

克拉普先生:您想怎么样,订了婚的人都是这样。我想起了在鲁宾逊度过的一个夜晚。维奥莱特比我先爬上一棵树,我向您保证……

克拉普太太:闭嘴!

比乌克大夫:在教皇的祝福下,我们正式并公开地同居在一起,在此之后,或者说在此期间,我们消磨了多少个夜晚,权衡利弊,直到公鸡报晓,可还是不能做出决定!

克拉普先生:应该低着头往前冲。

比乌克大夫:我们是这样做的……(他掏出记事本并翻着)等一等……在上一个周六到周日的夜里。(他翻了几页,做上一条记号,又把记事本放进口袋)您看,我们都厌倦了耍花样。(做了个含义丰富的手势)现在,我们在期待。(他站起身)期待上帝的仁慈。

克拉普太太:您有什么事吗?

比乌克大夫:我有什么事?

克拉普太太:你们不会马上就走吧?

克拉普先生:我邀请过他们吃晚饭。可他们急于单独在一起。

克拉普太太:留下来吃晚饭!吃什么?

克拉普先生:我也不知道。昨天的羊羔。

克拉普太太:羊羔?!你是想说羊肉吧。

让我怎么说呢，羊肉，公羊，整个屋子都会弥漫着一股羊毛和交配的味道。

比乌克大夫：您在诱惑我。不巧的是，有人在等我们呢。

克拉普先生：你设身处地为他们想想啊。

克拉普太太：如果我年轻五十岁，不，那太多了，年轻四十岁，大夫，我会和您一起到天涯海角，尽管您的外表并没有令我感到什么震动，但是当您说……！（对克拉普先生）你说什么？

克拉普先生：什么也没说。我在颤抖。

比乌克太太：有人在等我们呢。

比乌克大夫：别夸大事体，亲爱的。

克拉普太太：我们去戴尔米吕斯餐馆吧。

比乌克大夫：斯昆克小姐没说话。

斯昆克小姐：您想让我说什么？我想知道我被叫来是为了什么。

克拉普太太：你要和我们一道去。我们一起醉。

比乌克大夫：我喜欢丰盛的酒宴。

克拉普先生：你的小腹呢？

克拉普太太：我要对大夫说这个问题。您愿意听吗，大夫？

比乌克大夫：在吃奶酪之前请不要说这个，亲爱的夫人。

克拉普太太：滑头，去你的！

比乌克太太：（对克拉普太太）你出去一趟让你看起来好多了。

沉默。

比乌克大夫：您会去的吧，小姐？

斯昆克小姐：我没什么事。

克拉普太太：那就这么定了。半个小时以后，戴尔米吕斯餐馆。

所有的人都起身，除了克拉普先生和斯昆克小姐。

比乌克大夫：（对克拉普先生）等会儿见。我有很多话要对您说。

克拉普先生：原谅我不能站起来，我有点……

克拉普太太：我陪你们一起去。你一起走吗，奥尔加？

斯昆克小姐：我会和你在一起的。我不想换衣服了。

比乌克大夫：（对斯昆克小姐）说定了，嗯？

克拉普太太：（对斯昆克小姐）随你吧。

克拉普太太、比乌克太太、比乌克大夫下场。较长一段时间的沉默。

克拉普先生：把紧腰外套解开。

斯昆克小姐：我冷。

克拉普先生：没关系的。把你的裙子往上翻。再往上。好的。现在，保持安静。呼吸。（斯昆克小姐把头埋到手里，身体蜷缩着哭了起来。身体随着几声呜咽而晃动）天哪！（爆发继续着）停下来！（斯昆克小姐哭得更凶了）她哭得像个邋遢鬼。（他提高了声调）你真丑。奥尔加，你听我说，你丑得让人作呕。我们完了。（斯昆克小姐渐渐安静下来，抬起她被泪痕弄脏了的脸庞，在悲伤时分开的两条腿又交叉起来，翻起裙子，等等）你真漂亮！谁教你哭得像个……（他控制住不重复刚才的话）像个……（他没有找到词）就像生活中那样？你忘了你在哪里了。

斯昆克小姐：你知道得很清楚。

克拉普先生：什么？

斯昆克小姐：是谁让我这样的。

克拉普先生：这个不相干。我呢，你以为我不想号叫啊？只是，我，如果我……（他中断了自己的话，一种残酷的假设使他受到了打击）至少，在他面前你从来没有听任自己这样吧？

斯昆克小姐：没有。

克拉普先生：你发誓？

斯昆克小姐：我发誓。

克拉普先生：那么，还没有彻底完蛋。

斯昆克小姐：也许，我本该这样。

克拉普先生： 什么？

斯昆克小姐： 像在生活中那样地哭泣，在他面前。

沉默。

克拉普先生： 这什么用也没有。

斯昆克小姐： 可能会有用。

沉默。

克拉普先生： 我日子不长了。

斯昆克小姐： 别这么说。

克拉普先生： 我想说点心里话。（停顿）就一次。（停顿）在一个不让我讨厌的人面前。（停顿）但也许你讨厌我？

斯昆克小姐： 你知道不是这样的。

克拉普先生： 为什么？

斯昆克小姐： 我不知道。

克拉普先生： 这件事是不久前我才认为自己知道的。（沉默）你愿意听吗？

斯昆克小姐： 我是这么笨。

克拉普先生： 那怎么了？

斯昆克小姐： 我不会听明白的。

克拉普先生： 你听完后会不时地去想吧？

斯昆克小姐： 是的，父亲。

克拉普先生： 父亲？

斯昆克小姐： 什么？（停顿）我叫你父亲了？

克拉普先生： 我觉得是。

斯昆克小姐： （尴尬地）哦！（她的嘴唇抖动着）

克拉普先生： 别又来了。（斯昆克小姐控制住自己）等你一个人的时候你再哭。

斯昆克小姐： 好的。

沉默。

克拉普先生： 听我说下去。我在搜寻着我的思路。它们太散乱了，就像在战场上一样。（停顿）注意，我要开始了。

斯昆克小姐： 别太快了。

克拉普先生： （以一种宣扬教义的口气）错误在于生的愿望。这不可能。没什么值得活的，在为我们而准备的生活中。多么愚蠢啊！

斯昆克小姐： 是的。

克拉普先生： 不是吗？我接着说。这是一个材料的问题。要么是太多了，让人不知从何入手；要么是太少了，根本不必开始。但还是开始了，同时会担心无所事事。有时候甚至会让人觉得结束了，你会有这样的经历。然后人们看到这只不过是虚张声势。于是又重新开始，太多了或者是太少了。为什么人们不能安于一种只不过是虚张声势的生活呢？这应该有神圣的起源。他们对你说就是这样，生活，开始，重新开始。不，这只不过是对无所事事的担心。生活并不是可能的。我表达得很乱。

斯昆克小姐：我一点儿都没听懂。

克拉普先生：这个笨大夫，还有他的堕胎和安乐死。你听见他说的话了吧？

斯昆克小姐：我没有太在意。

克拉普先生：最下贱的那种技工。

斯昆克小姐：当你说到生活和活着的时候，我不明白你在说什么。维克托也是，我完全不懂他在说什么。我嘛，我感到自己在活着。为什么你觉得这会有一种意义呢？

克拉普先生：天啊！这个居然也要思考！

斯昆克小姐：你不能简简单单地说你想要的吗？

克拉普先生：我想要的？

斯昆克小姐：如果你愿意。

克拉普先生：我想要快乐，一段时间里持续的快乐。

斯昆克小姐：为什么而快乐？

克拉普先生：因为生下来，因为还没有死。（沉默）我做个迅速的总结，因为我觉得我的妻子快到了。

斯昆克小姐：你的期限快到了？

克拉普先生：我的**妻子**。这个祸害。

斯昆克小姐：可是……

克拉普先生：等一下。既然处于不可能活着的处境，而且因为羞涩或者因为怯懦，或者干脆就因为他并不在活着，他拒用良药，那么，为了避免痴呆，那种很平常很不引人注意、别人教会他防范的痴呆，人们能怎么做呢？（停顿）他可以假装活着并且装着别人也在活着。（抬起手）等一下。这种解决方法，或者说这种计谋，是我最近信服的。我不是说这是唯一的。但是我太老了不能自己学着……不，我也不会指派别人。就是这样。不，不要问我问题，因为我不能回答。你在笑，但这不管用。你应该笑得更多些。除了你想笑的时候。像我一样。（他咧开嘴，摆出一副僵硬的夸张的笑容。斯昆克小姐向后退。笑容消失）

斯昆克小姐： 你真可怕！

克拉普先生： 是的。还有一件事。

斯昆克小姐： 不，不，我受够了。

克拉普先生： 我只要你说行。

斯昆克小姐： 说行？对什么说行？

克拉普先生： 对一个小小的祈祷。

斯昆克小姐： 不，不，我不能。

克拉普先生： 许个承诺吧。我都是要死的人了。（沉默）你装着为我的儿子活着。

斯昆克小姐： 行，行，你想要什么都好。

克拉普先生： 为了他看上去是活着的。

斯昆克小姐： 行，行，我承诺。

克拉普先生： 你没懂。

斯昆克小姐： 我承诺，我承诺。

沉默。

克拉普先生： 你不想亲亲我？（斯昆克小姐又开始哭泣）这不管用。你是对的。尤其是不要再哭了。等……

克拉普太太上场。

克拉普先生： 等一个人的时候。

克拉普太太： 你准备好了吗，奥尔加？

斯昆克小姐： 马上好。（她站起身来）

克拉普太太： 你去哪儿？

斯昆克小姐： 整理一下自己。（她下场）

克拉普先生： 她懂了。

克拉普太太： 你快点，维克托。

克拉普先生： 维克托？我不叫维克托。

克拉普太太： 你快点，你连胡子都没刮。

克拉普先生： 我不出去。

克拉普太太：（挽住他的胳膊）来，快点！起来。

克拉普先生： 别逼着我杀你，维奥莱特。

克拉普太太： 杀我？！你！杀我！我！（放声大笑）

克拉普先生：（从口袋里掏出一把剃须刀）帮我一把，拉我起来。（克拉普太太后退）我情愿（他试图站起来）让你得癌症而

不管你。倒霉。(他身体站起来一半)

克拉普太太：(往门口退去)你完全疯了！

克拉普先生：(还是陷在他的皮椅里)一站起来，就完全孤独了。

克拉普太太：(想到他不能起身)你这个老残废！(又向他走去)说实话你刚才那一下真让我害怕了！

克拉普先生：(又坐了下去)坐着真不方便，甚至没法杀他的妻子。

克拉普太太：流氓！

克拉普先生：我也是？

克拉普太太：混蛋！

克拉普先生：不过，你等着也不要紧。今天夜里我要宰了你，在你打呼噜的时候。

克拉普太太：(这样直白的描述令她恐惧，可能尤其又因为与客人们度过了一个不安的晚上更增加了这种气氛)亨利，不要这样！回到原来的你！想想我们一起度过的一切！想想我们巨大的悲痛！让我们成为朋友！

克拉普先生：(温存地)你坐下来一会儿。(克拉普太太坐下)你见到维克托了？

克拉普太太：我向你保证没有。我只是去散散步。我那时气急败坏。我已经对你说过。

克拉普先生：他对你说了什么？

斯昆克小姐上场。

克拉普太太： 等我一会儿，奥尔加。我很快就来。

斯昆克小姐下场。

克拉普先生： 你不必承认你说谎，也不必道歉。只要说他对你说了什么。

克拉普太太：（努力地）他对我说他不想再见到我。

克拉普先生： 你那时怎么样，你？

克拉普太太： 我那时怎么样？我不懂。

克拉普先生： 你那时的模样是个不安的母亲。

克拉普太太： 我是不安得要命。

克拉普先生： 后来是威胁。再后来是忧伤。（沉默）五百次了。（沉默）你哀求，你叫喊，哭泣。（沉默。猛然吼道）你回答啊！

克拉普太太： 是的，亨利，你很清楚。

克拉普先生：（放心地）太好了。（克拉普太太站起身）等一会儿。（克拉普太太重新坐下来）你威胁过不给他生活用品吗？

克拉普太太： 是的，我对他说这不能再继续下去了。

克拉普先生： 这，这可倒是以前没说过的。

克拉普太太： 我早先已经让他有所准备。

克拉普先生： 不过并不曾逼得他走投无路？

克拉普太太： 没有。

克拉普先生：今天是你要给他钱的日子吧？

克拉普太太：是的。

克拉普先生：那么，你为什么要请让娜来？

克拉普太太：我想让她来陪我。

克拉普先生：然后玛格丽特来了？

克拉普太太：是的。

克拉普先生：你在让娜走之前见到她了吗？

克拉普太太：是的。

克拉普先生：你没和她说什么？

克拉普太太：没有。她怒气冲冲。

克拉普先生：你给了他那个吗？

克拉普太太：什么？

克拉普先生：你给了他钱吗？

克拉普太太：没有。

克拉普先生：他对你说什么？

克拉普太太：说这并不要紧。

克拉普先生：还说他不愿意再见到你？

克拉普太太：是的。

克拉普先生：太好了，太好了。（他搓着自己的双手。克拉普太太流泪。拿出手帕。她控制住自己）哦，你这就完了？

克拉普太太：不应该任着自己的性子。

克拉普先生：应该，应该，相反，是……（他停住，一个痛苦的想法震动了他）你要做什么，现在？

克拉普太太：我要做什么？

克拉普先生：你不再去那儿了？

克拉普太太：我不知道。

克拉普先生：可你没有王牌了。（停顿）除非你能找到另一个东西。

克拉普太太：我们会找到某个东西。不能再继续这样下去了。

克拉普先生：精彩！

克拉普太太：不是吗？

克拉普先生：是的，我们会找到某个东西。（克拉普太太站起身）为了能够继续这样下去。

克拉普太太：什么？

克拉普先生：还有一个小问题我就结束。

克拉普太太：（重新坐下）我迟到了。

克拉普先生：他们，他们可以等。（沉默）你有多少次想解脱？

克拉普太太：（放低了声音）三次。

克拉普先生：这没带来什么吗？

克拉普太太：只有一些苦恼。

克拉普先生：只有一些苦恼！（停顿）然后你说……瞧啊……你那句漂亮话是什么来着？

克拉普太太：漂亮话？

克拉普先生：是啊……瞧啊……"既然他在那。"

克拉普太太："留着他吧,既然他在那儿。"

克拉普先生：(情绪活跃起来)是了!是了:"留着他吧,既然他在那儿。"(停顿)我们当时浮在水面上。你的船夫有一把刀。我不再划桨。水波摇着我们。(停顿)他也是,水波摇着他。(停顿)你确定他是我的吗?

克拉普太太：(考虑之后)有……嗯……百分之七十的可能性。

克拉普先生：我的比率往上升了。

克拉普太太：说完了?

克拉普先生：噢,是的,说完了。

克拉普太太：(站起身)你更生我的气了,亨利?

克拉普先生：生气?相反。我很满意你,维奥莱特,非常满意。你那时实在是太好了,完全合乎天性。

克拉普太太：过个愉快的晚上。(她往外走)

克拉普先生：维奥莱特!

克拉普太太：(停下来)嗯?

克拉普先生：你不想亲我一下?

克拉普太太：哦,现在不,亨利,我迟到很久了。

克拉普先生：的确。

克拉普太太：（调皮地）再说，你知道，我一直对你的刀有点害怕。（她下场）

较长时间的沉默。

克拉普先生：让马路上闲逛的人开心！

沉默。敲门声。沉默。敲门声又起。沉默。雅克上场。

雅克：先生请用餐。

克拉普先生：您还要干什么？

雅克：先生请用餐。

克拉普先生：您可以说下去啊。

雅克：先生愿意我把晚餐端到这儿来吗？

克拉普先生：端什么给先生？

雅克：先生的晚餐。

克拉普先生：啊对，晚餐。（思考）我不吃晚餐了。

雅克：（窘迫）先生什么都不吃了？

克拉普先生：今晚不吃。

雅克：先生觉得不舒服？

克拉普先生：和平常差不多。

沉默。

雅克：先生不想听点音乐？

克拉普先生：音乐？

雅克：常听的话，会对先生有益的。（沉默）有科佩克四重奏的唱片，先生。唱片在配膳室里。很好的曲子，先生。

克拉普先生：是什么？

雅克：舒伯特的乐曲，先生。（沉默）先生，我可以把机器接在大客厅里，再把门打开。先生是不喜欢声音太响的。

克拉普先生：您爱怎样就怎样吧。（雅克出去。音乐响起。是降a调的四重奏行板。音乐持续足足一分钟，如果可能的话。克拉普先生渐生烦躁情绪。然后，他用尽力气）雅克！雅克！（他试着站起来。音乐声）雅克！（音乐声。雅克跑了过来）停下来！停下来！（雅克出去。音乐声。音乐声止）真可恶！（雅克上场）

雅克：先生不喜欢？（克拉普烦躁情绪回落）我真抱歉，先生。（沉默）先生什么也不想要吗？

克拉普先生：别离开我。

雅克：不离开，先生。

克拉普先生：跟我说点话。

雅克：先生有什么特别感兴趣的东西吗？（沉默）先生想看报纸吗？

克拉普先生：我昨天看过了。

雅克：先生对新内阁怎么看？

克拉普先生：不，不，别谈这个。

沉默。

雅克：先生有少爷的好消息吗？

沉默。

克拉普先生：什么时候，婚礼？

雅克：先生想说的是玛丽和我？

克拉普先生：是的。

雅克：我们希望在一两个月之后办，先生。

克拉普先生：你们已经做过爱了？

雅克：我们……嗯……我……嗯……谈不上是做爱，先生。

克拉普先生：我没有冒犯您吧？

雅克：哦，先生！

克拉普先生：您有点卑躬屈膝啊，雅克。

雅克：我喜欢俯首听命，先生。

克拉普先生：那么，您是对的。

玛丽出现在门口。

玛丽：太太打电话找先生。

克拉普先生：走过来点儿，玛丽。（玛丽往前走）再近点。（玛丽来到落地灯旁）转过来。（玛丽转过身）她真是小巧玲珑。

玛丽：我该怎么回答太太，先生？

克拉普先生：说我就来。

玛丽：好的，先生。（她下场）

克拉普先生：您不会感到烦闷啊？

雅克：有时候还是会的，先生。

克拉普先生：多交流。

雅克：好的，先生。（他下场。克拉普先生一动不动。雅克上场）太太问了先生的情况，并让我告诉先生，比乌克大夫先生很遗憾先生没有陪太太一起去。比乌克大夫先生有很多事要对先生说。

克拉普先生：您挂了？

雅克：是的，先生，我以为应该这么做。

沉默。

克拉普先生：雅克。

雅克：是，先生。

克拉普先生：我想让您亲亲我。

雅克：当然，先生。亲先生的脸？

克拉普先生：你想亲哪儿都行。

雅克吻克拉普先生。

雅克：还要吗，先生？

克拉普先生：谢谢。

雅克：好的，先生。（他重新站好）

克拉普先生：拿着。（递给他一张一百法郎的钞票）

雅克：（接过钱）哦，不必这样，先生。

克拉普先生：您胡子扎人。

雅克：先生胡子也有点扎人。

克拉普先生：您亲得好。

雅克：我尽力做好，先生。

沉默。

克拉普先生：我原本该做同性恋者。（沉默）您怎么想？

雅克：想什么，先生？

克拉普先生：想同性恋。

雅克：我想这应该差不多是一回事，先生。

克拉普先生：您真圆滑。

沉默。

雅克：我还要在先生旁边待着吗？

克拉普先生：不必了，您可以抛下我不管。

雅克：先生最好上床休息吧？（沉默）我没什么别的事要为先生做了？

克拉普先生：没有。有。把这可恶的灯给关了。

雅克：好的，先生。（他关了落地灯）我留着小灯没关，先生。（沉默）晚安，先生。

克拉普先生：晚安。（雅克往外走）门不要关。

雅克：好的，先生。

克拉普先生：这样您可以听到我的叫喊声。

雅克：好的。先……对不起，先生您说什么？

克拉普先生：让门开着。

雅克：好的，先生。（他下场，忧心忡忡）

克拉普先生一动不动。

克拉普先生：落幕。

克拉普先生一动不动。

落幕

第二幕

第二天。下午将过。

维克托的卧室,脏乱不堪,唯一的家具是一张折叠式铁床。

维克托一个人。衣服邋遢,脚上只穿着袜子走来走去。他停在灯旁,看着观众,想说话,又改变了主意,继续走动。他重新在灯前停住,寻找着词语,迷惑状。

维克托:我应该说……我不是……(他闭上嘴,继续走动,拾起一只鞋,将鞋隔着玻璃窗砸了出去。很快进来一个装配门窗玻璃的人,带着他的一套工具,手上提着维克托的那只鞋。他扔下那只鞋,开始工作)真不可思议,什么都没打碎。

配玻璃者:可是您把它打碎了。

维克托:也不能什么都不损失啊。

一个小男孩上场,手里抱着一个箱子。

配玻璃者： 这是我的助手。他负责拿嵌玻璃用的油灰。对吗，米歇尔？

米歇尔： 是的，爸爸。

配玻璃者： 是的，先生。

米歇尔： 是的，先生。

配玻璃者： 钻刀拿来了吗？

米歇尔： 没有，先生。

配玻璃者： 咻！咻！去找钻刀。

米歇尔： 是的，先生。(他往外走)

配玻璃者： 别把油灰带走。(米歇尔把箱子放在靠窗的地上，下场)他刚才把油灰也要带走！(扒拉着)小冒失鬼！(扒拉着)还得要钻刀啊。(扒拉着)没钻刀你想我怎么干活啊？(转身对维克托)没钻刀我什么也干不了，先生。(米歇尔上场)你去得也太久了。拿来了吗？

米歇尔： 是的，先生。

配玻璃者： 从那头过来。靠近我。准备好了。

米歇尔： 是的，先生。

配玻璃者： 我说话不像个配玻璃的，嗯？

维克托： 我不知道。

配玻璃者： 您应该相信我。

维克托： 有人派您来监视我？

配玻璃者： 您不把玻璃打碎，我也不会在这儿。(沉默。配玻璃的开始工作)您瞧，先生，如果说我身上有什么值得别人赞赏的地方，就是我这个人一点用也没有。

维克托：您可以修我的玻璃啊。

配玻璃者：同意，但是您明天还会打碎它。说到底，我希望这样。

维克托：我，我打碎它也是白打；您呢，您修它也是白修。

配玻璃者：可不是！

维克托：最简单的办法就是别开头。

配玻璃者：（转过身）啊，先生，不要说蠢话。

卡尔太太上场，一个老妇人。

卡尔太太：您把玻璃打碎了。

配玻璃者：他的鞋穿过了玻璃，太太，从这一边穿到那一边。

卡尔太太：将军夫人来访。

维克托：将军夫人？

卡尔太太：是的。

维克托：对她说我出去了。

卡尔太太：我对她这么说了。她不愿意走。

维克托：那么，让她待着好了。

卡尔太太：她正上楼呢。

维克托：必须拦住她！

卡尔太太：她带着两个帮手在身边。她的司机和另一个人。

维克托：我要下去。

卡尔太太：来不及了。（她出去走到楼道上。回来）她到四楼了。她在喘气。

维克托：她一个人？

卡尔太太：我对您说了有两个家伙跟着她。

配玻璃者：她的司机和另一个人，不知道是谁。

维克托：怎么办？

配玻璃者：藏起来。

维克托：藏在哪儿？

配玻璃者：床底下。

维克托：您觉得行？

配玻璃者：快点！快！床底下。

维克托藏在床底下。

卡尔太太：她来了。（梅克太太上场。她用眼光搜寻着维克托）我对您说了他不在这儿。

配玻璃者：太太，请允许我向您做个自我介绍。我是所谓的配玻璃的。这是小米歇尔，所谓的助手。他是拿油灰的。向夫人问好，米歇尔。

卡尔太太下场。

米歇尔：您好，太太。

梅克太太：您没看见克拉普先生？

配玻璃者：克拉普先生？

梅克太太：住在这里的年轻人。

配玻璃者：啊，住在这里的年轻人。

梅克太太：您没看见他？

配玻璃者：看见了，太太。

梅克太太：他在哪儿？

配玻璃者：他在床底下，太太，就像莫里哀那个时候一样。（维克托从床底下钻出来）应该继续待在那儿啊。

梅克太太：这是唱的哪出戏啊？

配玻璃者：这是出于让大家消除疲劳、让大家消遣的目的，太太。

维克托：您要把我怎么样？

梅克太太：他真可爱，小家伙。过来和我打招呼，我的小人儿。就像个真正的小男子汉。

配玻璃者：我想请您让我的助手保持安静，太太。他已经对您说过您好了。您没看到他正提着油灰吗？

梅克太太：您真不逗人乐。

配玻璃者：有些时间是用来工作的，太太，也有些时间是用来逗人乐的。米歇尔要早早学会区分这两种时间。

梅克太太：他是您儿子？

配玻璃者：在我工作的时候，我是没有家的，太太。

梅克太太： 您把它叫做工作？您只是在闲扯。

配玻璃者： 我的头脑在不停地工作。

梅克太太：（对维克托） 他有点像您可怜的爸爸年轻时候的样子。

配玻璃者： 真的？

梅克太太： 您别管我们的事。

配玻璃者： 可您管我的事。

梅克太太：（对维克托） 您不给我把椅子坐？

维克托： 这儿没椅子。

梅克太太： 上回这儿是有一把的。

维克托： 后来就没有了。（梅克太太坐在床上）您想干吗啊？

梅克太太： 相似得让人吃惊，真的。

维克托： 您给我带钱来的？

梅克太太： 我来看您的。

维克托： 我要出去。

梅克太太： 我和您一起出去。（她站起身）

维克托走到门前，打开门，愣了一会儿，向外走到楼道上。

维克托的声音： 卡尔太太！（沉默）卡尔太太！（维克托回来并把门关上）

梅克太太： 啊，您不出去了？

维克托： 不急着出去。（梅克太太重新坐下） 在楼道上的人是谁？

梅克太太： 是约瑟夫。

维克托： 他跟着您的啊？

梅克太太： 他是个五级摔跤手。吕道韦克以前常雇他。

维克托： 他跟着您的啊？

梅克太太： 是的，维克托，他跟着我。

配玻璃者走到门口，打开门，向外看。

配玻璃者： 过来瞧瞧，米歇尔。（米歇尔来到门前。两个人向外看了一会儿。配玻璃者轻轻关上房门，重新开始干活。米歇尔跟在他身后）

米歇尔： 他鼻子上是什么，爸爸？

配玻璃者： 先生。

米歇尔： 先生。

配玻璃者： 我不知道，米歇尔，他鼻子上是什么。有很多东西都可以长在鼻子上。如果你想知道，就去问他吧。要不去问这个好心的夫人，这更合适些。

米歇尔： 他鼻子上有什么，太太？

梅克太太： 这是被咬过的伤口，孩子。

米歇尔： 是条狗咬他的吗，太太？

梅克太太： 不是，孩子，是个和他一样的人，他的同类。

米歇尔： 为什么他要咬他，太太？

梅克太太：要强迫他让步，孩子。

配玻璃者：够了！够了！知道这有什么用。给我把尺子递过来。

米歇尔：您拿着呢，先生。

配玻璃者：确实。(他开始测量)

维克托：这个人为什么要跟着您呢？

梅克太太：为了用武力劫持您，在必要的时候。

维克托：武力？

梅克太太：和您说道理不太管用，我想。

卡尔太太上场。

卡尔太太：您要什么？

维克托：我想要我的账单，我跟您了结了吧。

卡尔太太：您说什么？

维克托：我对您说我要跟您了结，我想要我的账单。

卡尔太太：那得提前一个星期通知我。

维克托：您开个您觉得正确的账单。我今天就和您了结。

卡尔太太：您在抱怨什么啊？

维克托：我想给您个答复，卡尔太太。我抱怨自己总是不断被打扰。昨天是我妈，今天是将军夫人，明天会是我的未婚妻。我砸了自己的玻璃，甚至也会有个配玻璃的出现，动手修玻璃，活干得慢得令人绝望。

卡尔太太：那就不该留下地址。

维克托：我没留。他们发现的。

卡尔太太：可是您去任何地方他们都同样会发现您。

维克托：这不一定。

卡尔太太：（对梅克太太）您不能让他安静下来吗？

梅克太太：您只管您自己的事。

维克托：卡尔太太，发点善心吧，给我账单。没必要和这帮人谈。

卡尔太太：这是个耻辱。（她往外走）

维克托：喂，卡尔太太。

卡尔太太：怎么了？

维克托：特莱斯在下面吗？

卡尔太太：是的。

维克托：叫他找个警察，带到这儿来。

卡尔太太：警察？干什么？我不想让警察来我家。

维克托：这位夫人擅自闯入我的住宅。

卡尔太太：您的体格足以把她拉出门外。

维克托：她带着个保镖来的。他在楼道上，一有信号就会进来。

梅克太太：约瑟夫！（约瑟夫上场）做您该做的。

约瑟夫：就是他？

梅克太太：是的。

约瑟夫：（把维克托的胳膊抓住）过来吧你。

维克托：来人啊！

卡尔太太：来人啊！

约瑟夫：闭嘴！（他把她推开）

维克托：放开我！（他无力地挣扎。约瑟夫把他拖到门口）

配玻璃者：（对米歇尔）把锤子给我。

米歇尔：您拿着呢，先生。

配玻璃者：确实。（他靠近约瑟夫，用锤子击他的头。约瑟夫倒下）

梅克太太：荒唐。

配玻璃者重新开始工作。

卡尔太太：（往外走）我去找个警察。

梅克太太：他杀了他。

维克托：不必了，卡尔太太。

卡尔太太：要上法庭的。

维克托：叫司机上来。

卡尔太太：他打了我。

维克托：司机，卡尔太太，司机。会赔偿您的。

卡尔太太：事情可不是该这么做的。（她下场）

梅克太太：暴力失败了。

维克托：您让我无法生活了。您给我带来耻辱和荒唐。您走吧。

梅克太太：生活？什么生活？您已经死了。

维克托：没人缠着死人。

梅克太太：您知道您的阿姨来巴黎了吗？

维克托：我母亲已经对我说了。

梅克太太：她的丈夫是个……

维克托：我母亲已经对我说了。

梅克太太：您知道您母亲为您多操心吗？

维克托：是的，她已经对我说了。您走吧。

梅克太太：这都没让您怎么样？

维克托：我不能怎么样。

梅克太太：您可以回到家里。

维克托：我不能回到家里。

梅克太太：您可以过另一种生活。

维克托：我不能过另一种生活。

梅克太太：您知道奥尔加积怨成疾了吗？

维克托：是的，她对我说过，我母亲也向我证实过。

梅克太太：您对她一点感情都没有吗？

维克托：没有。

梅克太太：对任何人都没有？

维克托：没有。

梅克太太：除了您自己。

维克托：也没有。

配玻璃者：这能看得出。

梅克太太：您要拿什么来付这笔账？

维克托：用我还剩下的钱。

梅克太太：然后呢？

维克托：我会自己解决。

梅克太太：您父亲去世了。

沉默。

配玻璃者：回答啊，瞧瞧！

敲门声，托马上场。

梅克太太：去照顾您的同伴。（他走到窗户旁）

托马：太太？

梅克太太：看看他还在不在呼吸。您对发动机很熟悉。

托马：（检查过约瑟夫的情况后）还在，太太。

梅克太太：他在呼吸？

托马：是的，太太。

梅克太太：把他拖到楼道上。

托马：好的，太太。（他把约瑟夫拖到楼道上，回来）

梅克太太：试着让他醒过来。

托马：好的，太太。

梅克太太：他只要能动，你们两个就下去，在车里等我。

托马：好的，太太。（他下场）

沉默。

梅克太太：维克托！（沉默）您没听见吗？您父亲去世了。

维克托：（转过身）听见了。他什么时候去世的？

梅克太太：您不会告诉我您对此很关心？

维克托：我关心的是时间。

梅克太太：他昨天晚上去世的，在他的椅子上。

维克托：几点？

梅克太太：八点的时候他还在世。雅克确认的。快到午夜的时候才发现他去世了。

维克托：谁发现的？

梅克太太：您可怜的母亲。

维克托：午夜？

梅克太太：差不多。

维克托：他那时已经僵硬了？

梅克太太：您完全没有人性。（沉默）您母亲心力衰竭。

配玻璃者：（对米歇尔）钻刀。（对维克托）没有桌子吗？

维克托：没有。

配玻璃者：真倒霉。（他开始在地上切割他的玻璃）

维克托：（对梅克太太）您走吧。

敲门声。托马上场。

托马：我没办法让他醒过来，太太。

梅克太太：他还一直有呼吸？

托马：是的，太太，但是我没法让他醒过来。

梅克太太：您可能背不动他这么重的身体。

托马：恐怕是的，太太。

梅克太太：（对维克托）您能不能帮托马把约瑟夫搬到车里？

维克托：不。

梅克太太：（对配玻璃的）您呢？（沉默）配玻璃的！

配玻璃者：（身子也不转过来，一直工作着）太太？

梅克托：您能不能帮托马把约瑟夫搬到车里？

配玻璃者：不，太太，我不能。

梅克太太：那好，托马，要叫辆救护车来了。

托马：好的，太太。（他下场）

维克托：（对梅克太太）您走吧。

梅克太太：可现在您可以把我拖到门外了。

维克托：我不高兴碰您。

梅克太太：（跪了下来）维克托！回到家

里去吧!跟我走!坐我的德拉奇车!

维克托:您起来。

梅克太太:帮我一把。(维克托用指尖帮她站起来)遗嘱……

配玻璃者:妈的!我切得太小了。

维克托:(对配玻璃的)就这样吧。

配玻璃者:(夸张地)即使我要把余生都用上去,我也得修好这块玻璃。

梅克太太:明天打开,在安葬以后。

配玻璃者:把尺子给我。

米歇尔:可是您拿着呢。

配玻璃者:先生。

米歇尔:先生。

配玻璃者:确实。

梅克太太:您母亲心力衰竭。(沉默)她需要您。(沉默)她唯一的依靠!

配玻璃的突然发笑。尺子从他手上掉下来。

配玻璃者:把尺子给我。(米歇尔递给他)

维克托:(对梅克太太)您走吧。(他拿起她的手袋塞给她,又拿起她的雨伞,用伞把她推向门口)

梅克太太:可悲啊!

维克托:(还在推着)走啊。

梅克太太:把我的伞给我。

维克托:走吧,出去!(他把她推出门外,

递给她雨伞,关上门,回到床边坐在床上)

沉默。

配玻璃者:她还会来的。

维克托:(转身侧朝观众,以一个无力的手势)我……

配玻璃者:我们现在安静了。

维克托:您还要干很久?

配玻璃者:因为我看不清了。

维克托:您走吧。

配玻璃者:我去开灯。(他走到开关旁,启动开关。灯没有亮)只缺个灯泡。米歇尔,快去买个灯泡来。

米歇尔:是,先生。(他下场)

配玻璃者:(向床靠近)您受不了带玻璃的东西。

维克托:您走吧。

配玻璃者:哦,我嘛,您知道,我只要开始干了,什么也不能让我停下来。您能怎么办,我就是这样。

维克托:我要是有勇气,我会试着把您扔出去。

配玻璃者:可是您害怕?

维克托:是的。

配玻璃者:怕什么?

维克托:怕疼。

沉默。

配玻璃者：您知道，现在是您自我表述的时候了。

维克托：自我表述？

配玻璃者：是啊。不能老这么下去啊。

维克托：可我什么也不明白。再说，我没有什么要对您说的。您是谁？我不认识您。闭上您的嘴。（停顿）滚吧。

配玻璃者：有的，有的，您表述一下自我对您是有好处的。

维克托：（声音带着吼叫）我对您说了我什么也不明白。

配玻璃者：自我表述，不，我不是说这个，我没表达好。确定自我，对了。现在是您确定自我的时候了。您现在就像是一种——怎么说呢？就像一种渗液。就像脓血，是的。往回走一点儿吧，为了上帝的慈爱。

维克托：为什么？

配玻璃者：为了一切看上去站得住脚的东西。到现在为止，您是不可理喻的。没有人能够相信这一点。可您完全就是什么都不是，我可怜的朋友。

维克托：也许到了某个东西变成完全什么都不是的时候了。

配玻璃者：是的，是的，我知道，我知道是怎么回事。一切不过是几个词语。听着。当她，（米歇尔上场）当她对您……你想干什么，你？

米歇尔：灯泡，先生。

配玻璃者：好的，放上去！当她对您说……

米歇尔：该放在哪儿，先生？

配玻璃者：该放的地方！在那个……在那个……那个东西里，那个，不是你屁股，在那个……**灯座**里，对了，放在灯座里，快点，笨蛋！（停顿）说到底，只有词语让我感兴趣。我是个甘愿默默无闻的诗人。（对米歇尔）嘿，你好了吗？

米歇尔：我还没好，先生。

配玻璃者：现在你可以叫我爸爸，现在是休息时间。

米歇尔：太高了，爸爸。

配玻璃者：站在椅子上。

米歇尔：没有椅子，爸爸。

配玻璃者：确实。那么，站在箱子上。（米歇尔把工具箱拉到灯座下，站在上面，安上灯泡，下来）现在，把灯打开。（米歇尔走到门旁边，打开开关，灯泡亮了）行了。

维克托：（半起身）我走了。

配玻璃者：把灯关了。（米歇尔关灯。维克托又倒在床上）到这儿来。把箱子带过来。
（配玻璃者坐在箱子上，面对着维克托，用手臂搂住米歇尔的身体并紧贴着自己）

米歇尔：这位先生他有什么事，爸爸？

配玻璃者：谁对你说他有什么事？

米歇尔：他看上去很怪。

配玻璃者：他**就是**怪。

米歇尔：是因为他爸爸去世了吗？

配玻璃者：你怎么知道他爸爸去世了？

米歇尔：是那个胖太太对他说的。

配玻璃者：也许她是撒谎。（停顿）好好看着他，米歇尔。

米歇尔：为什么她要撒谎，那个夫人，爸爸？

配玻璃者：为了让他和她回去，当然喽。还有，他一回到家里，他们就会把他关起来。（停顿）好好看他。（停顿）你长大了肯定不会是这样，对吧，米歇尔？

米歇尔：不会，爸爸。

卡尔太太上场。

卡尔太太：（对配玻璃者）您还没有结束啊，您？

配玻璃者：没有，太太，我还没有结束，我连快结束都没有，正干到该干的地方呢。

卡尔太太：（对维克托）这是账单。（向前走到床边）拿着。（维克托无力地接过账单，攥在手里看也不看）那么，您是走还是不走？（沉默）您生病了？

配玻璃者：让他想想。

维克托：（用力地）卡尔太太，我只想待在这里，但是需要让我安静。

配玻璃者：进这房间就像进磨坊似的。不可思议。连门也不敲。

卡尔太太：人家带着打手过来的时候，您想让我怎么办？他们都知道他在这儿。他只用不留给别人地址就行。

配玻璃者：那个野兽他还一直在楼道上吧？

卡尔太太：不，他走了。

配玻璃者：救护车拉走的？

卡尔太太：不，他一个人走下去的。

配玻璃者：（搓着手）我们现在安静了。

维克托：您没有另一间房吗？

卡尔太太：这能改变什么？

维克托：您可以说我不住在您这儿了，然后我到您那间房去。

卡尔太太：所有的房间都有人。

配玻璃者：为什么您不锁上房门？

维克托：没有锁。

配玻璃者：没有锁？（对卡尔太太）您不感到羞耻吗，出租没有锁的房间？

卡尔太太：他完全可以不住。没人强迫他。

配玻璃者：可是您没看到您打交道的是一种……一种怎样萎靡不振的人吗？（对米歇尔）快去买个锁来。

米歇尔：是的，爸爸。

配玻璃者：先生。

米歇尔：是的，先生。(他下场)

配玻璃者：我们要帮您解决这个。

维克托：他们会破门而入的。

卡尔太太：是吗？您是走还是不走呢？

配玻璃者：让他喘口气，瞧您！

维克托：我过会儿就对您说这个。

卡尔太太：我给您一个小时。然后我就挂上广告牌。(她下场)

沉默。

配玻璃者：您没想过这个？

维克托：让我安静点。别再对我说话。做您要做的，然后您就走。

配玻璃者：好的，不过您先对我说，您没想过那个吗？

维克托：想过。

配玻璃者：想过安一个锁？

维克托：是啊。

配玻璃者：可我不是说这个！我想说的

是,您没想过那个老女人对您说您父亲去世了是在骗您吗?

维克托:她没骗我。

沉默。米歇尔上场。

配玻璃者:你又到哪儿闲逛了?
米歇尔:我没闲逛,爸爸。
配玻璃者:买到锁了吗?
米歇尔:是的,先生。
配玻璃者:还有两把钥匙?
米歇尔:是的,先生。
配玻璃者:好的。(他站起身,对维克托)至于您,我没什么还要对您说的了。我见过些没用的人,但从来没见过像您这样糟糕的。您应该从内心里对自己发出嘘声,因为您没更好的事可做。别人都把回答放到您嘴上了,从您嘴里出来的还是相反的话。您对您母亲不再有感情了?没有。对您的未婚妻也没有了?没有。对所有人都没有?没有。只对您自己有?也没有。这是什么样的蠢话啊?上帝啊,得有感情啊!但是本性上您要爱您的母亲,但是本性上您要爱您的未婚妻,但是……**但是**您有责任啊,对您自己,对您的事业,对科学,对党派。天知道呢,这些会把您变成一个与众不同的人、一个杰出人士,禁止您具有家庭的温情、生活的激情,给您戴上面具,用一层玻璃纸套住您。感情，感情，然后不闻不问，就应该这么做！为了既定的思想，为了神圣的职业，去牺牲一切！这样您才开始活着。别人不再会给您上刑。您是个可怜的年轻人，英雄般的年轻人。人们看着您像条狗一样在三十岁、三十三岁死去，您沉重的工作、您的发明创造掏空了您，镭侵蚀着您，彻夜的工作、没有空闲的工作压倒了您，您在使命中死去，被佛朗哥枪杀，被斯大林枪杀。人们为您鼓掌。母亲悲痛地去了，姑娘也去了，这都不要紧，得要有像您这样的人，理想化的人，不需要人安慰，不需要人同情，为了让油饼能继续卖下去。（模仿他）不……不……她已经告诉我了……我不能怎么样……我无能为力……我什么也感觉不到……我什么都不是……让我安静……您走吧……求您了……求您了。狗屎！（对米歇尔）开灯。您的价值在哪儿？

维克托：什么？

米歇尔打开灯。

配玻璃者：我问您，您在这鬼地方烂下去的价值在哪儿？

维克托：我不知道。

配玻璃者：我不知道，我不知道。啊！躲到一边去。

维克托：我很愿意。

配玻璃者：（对米歇尔）把尺子给我。

米歇尔： 可您正拿着呢，先生。

配玻璃者：（发出雷鸣般的声音）不，我没拿！（对维克托）您是哪儿来的勇气和力气，用雨伞把老妇人赶出去的？

维克托： 我保卫我的利益，在我力所能及的时候。

配玻璃者： 您的利益！什么利益？

维克托： 我的自由。

配玻璃者： 您的自由，它真美啊，您的自由！做什么的自由？

维克托： 什么都不做的自由。

配玻璃者：（努力控制住自己，对米歇尔）尺子。

米歇尔： 给您，先生。

配玻璃者： 现在干什么？完工玻璃还是上锁或者什么都不管？

米歇尔： 我饿了，爸爸。

配玻璃者： 你饿了，爸爸。好，先把锁上好。（他开始工作。沉默。他唱起歌来）

　　美丽的法兰西，
　　上帝保佑你。

（对米歇尔）唱！

配玻璃者和米歇尔：（合）
　　美丽的法兰西，

上帝保佑你，
生活在法兰西，
团结在一起。
跨过高山，越过……

斯昆克小姐上场。她来到维克托面前，后者仍然坐在床上。

斯昆克小姐：你好，维克托。
维克托：你好。
斯昆克小姐：这个人是谁？
维克托：是个配玻璃的。
斯昆克小姐：他在这儿干什么？
维克托：他配玻璃。
斯昆克小姐：你把玻璃打碎了？
维克托：什么？
斯昆克小姐：是你把玻璃打碎了？
维克托：是的。
斯昆克小姐：怎么回事？为什么？
维克托：我不知道。
配玻璃者：用他的鞋子，小姐，是故意的。一切都会有指望了。
斯昆克小姐：为什么你要这么做？
维克托：什么？
斯昆克小姐：为什么你要把玻璃打碎？
维克托：我不知道。
配玻璃者：过来，米歇尔。（配玻璃者和

米歇尔下场)

斯昆克小姐：你不想亲我吗？

维克托：不。

斯昆克小姐：我不漂亮？

维克托：我不知道。

斯昆克小姐：过去，你觉得我漂亮。你还想和我睡觉。

维克托：过去。

斯昆克小姐：你不再想和我睡觉了？

维克托：不想。

斯昆克小姐：那和谁？

维克托：什么？

斯昆克小姐：你现在想和谁睡觉？

维克托：谁也不想。

斯昆克小姐：但这不可能！（沉默）你不诚恳！（沉默）你知道我爱你吗？

维克托：你对我说过。

斯昆克小姐：你对我没有一点怜悯吗？

维克托：没有。

斯昆克小姐：你想我走吗？

维克托：是的。

斯昆克小姐：而且想我永远不再来？

维克托：是的。

沉默。

斯昆克小姐：是谁把你变成这样？

维克托：我不知道。

斯昆克小姐：你那时不是这样，以前。是谁让你成这个样子的？

维克托：我不知道。（停顿）我一直以来就是这样。

斯昆克小姐：不！不是这样！以前你爱我。以前你工作。以前你和你父亲开玩笑。以前你外出旅行。以前你……

维克托：那都是哄人的。好了，够了！你走吧。

配玻璃者和米歇尔上场。

配玻璃者：我本来想谨慎一点，细心一点，和上等人一样通晓人情世故，可是我看这不可能。所以我要继续我的工作。因为每时每刻都是珍贵的。请你们原谅。（对米歇尔）给我……（他自己找到了）扶住门。（他开始工作）

斯昆克小姐：你父亲去世了。

维克托：让娜对我说过了。

斯昆克小姐：让娜来过这儿？

维克托：是的。

斯昆克小姐：什么时候？

维克托：刚才。

沉默。

斯昆克小姐：你对这无动于衷吗？

维克托：什么？

斯昆克小姐：你父亲去世了。（沉默）你知道他昨晚对我说什么吗？（沉默）他要我承诺装出活着的样子，为了让你看上去也有活着的样子。我不明白。（沉默）因为这个我才来这里，想听你对我解释这是什么意思。（沉默）你知道这是什么意思吗？

维克托：不知道。

斯昆克小姐：你甚至都不试着说一下。

维克托：不。

斯昆克小姐：为什么？

维克托：一切都可以明白。

斯昆克小姐：那么，向我解释。

维克托：（狂躁地）不。

沉默。

斯昆克小姐：他要我亲他。（停顿）我不能。

维克托：可你要我亲你。

配玻璃者：（转过身）嘿，嘿。这得做点什么了。这不是我本来选择的那条路线，也可能根本不会管什么用，但是，也许总比什么都不做要好。（对斯昆克小姐）您看，小姐，他不能或者不愿意明白的东西，就是看上去不真实的东西。我不会再重复这点。（停顿）但是如果是出于对他父亲的爱，他……（他打住自己的话）不，这说明不了什么。除非……（停顿）说到底，只是做个试探。（对斯昆克小姐）您从这个方面搔搔他的痛处。可怜的老头，被老婆嘲笑，被儿子抛弃，干着荒唐的工作，病得像条老狗，预感到自己的末日临近，他要求您亲他您却不愿意。接下去呢？

斯昆克小姐：您说的我一句也没听懂。您说话和他一样。

配玻璃者：和谁一样？

斯昆克小姐：和他父亲。

配玻璃者：天哪！总之，您自己应付吧。工作。每时每刻都是珍贵的。（对米歇尔）扶好门。把它固定好。用你的脚。就这样。（他重新开始工作）

斯昆克小姐：（对维克托）你懂他想说什么吗？

维克托：不懂。（沉默）你走吧。我累了。

斯昆克小姐：（站起身来）我走了。（沉默）你就待在这儿吗？

维克托：我试着睡一觉。

斯昆克小姐：不，我是想说，将来，你就待在这儿吗？

维克托：不，我会到别的地方去。

斯昆克小姐：去哪儿？

维克托：我不知道。

沉默。

斯昆克小姐：玛格丽特回来了。（沉默）

她结婚了。（沉默）和一个医生。（维克托躺下）他向我献殷勤。（沉默）你知道他对我说什么吗？（沉默。斯昆克小姐跺脚）回答我啊，就回答一次！

维克托：我不明白。

斯昆克小姐：什么？什么你不明白？

维克托：你想知道什么？

斯昆克小姐：可我什么都不想知道。我只想你听我说话。

维克托：我听着。刚才我以为你走了。

斯昆克小姐：我对他说我宁愿去死。他对我说那很容易，他很高兴能帮我去死。

配玻璃者：这种献殷勤真滑稽。

维克托：谁？

斯昆克小姐：那个医生。

维克托：哪个医生？

斯昆克小姐：玛格丽特的丈夫。我刚才对你说了啊。

维克托：我不知道她已经结婚了。

沉默。

配玻璃者：当心！有人上来了！（他出去走到楼道上，又回来）是个上流社会的女人。我看到了她的礼帽。我闻到了她的香水味。她在上楼梯，而且小心翼翼，不去碰楼梯的扶手。她不是一个人。（他关上门，背靠住门。

沉默。敲门声。沉默。敲门声又起。沉默。有人推门。配玻璃者用力顶住门，阻止门被推开。他示意米歇尔帮他。米歇尔帮他）她和牛一样壮啊。（停顿）他们在一起推。（停顿）开门，还是不开，这是个……（对米歇尔）是什么？

米歇尔：这是个问题。

配玻璃者：又开始了。（对米歇尔）把门挡住。（他们挡住门。对斯昆克小姐）来帮我们。

门外的声音：开门！

斯昆克小姐：是他！

配玻璃者：谁？

斯昆克小姐：大夫！

配玻璃者突然从门旁闪开，门猛地打开，米歇尔被撞倒。比乌克大夫冲入房间，跪倒在地上。紧跟着他的比乌克太太也同样倒地。梅克太太被门夹住。比乌克大夫起身。

比乌克大夫：（对配玻璃者）是您吗，开这种中学生的玩笑？

配玻璃者：逗在路上闲逛的人开心是应该的。

比乌克太太：帮我一把。（斯昆克小姐帮她起身）

比乌克大夫：你没事吧，亲爱的？

配玻璃者：（对米歇尔）你没事吧，亲爱的？

米歇尔：没事，爸爸。

配玻璃者：那么，站起来，笨蛋！（米歇尔起身）

比乌克大夫：这个人是谁？

斯昆克小姐：是个装配工。

比乌克大夫：（对配玻璃者）您掺和进来干什么？

配玻璃者：我掺和进来干什么？（思考）我究竟掺和进来干什么？（抚摩着下巴）

比乌克大夫：出去！

配玻璃者：（对米歇尔）锤子。

梅克太太：（对比乌克大夫）别激怒他。这个人很粗野。

米歇尔递过锤子。

比乌克大夫：我谁都不怕。

比乌克太太：维克托在哪儿？

斯昆克小姐：他在里面。

配玻璃者：还有剪刀。

比乌克太太：（冲进去）维克托！

米歇尔递过剪刀。

梅克太太：（对斯昆克小姐）您在这儿干什么？

斯昆克小姐：我自己也纳闷呢。

比乌克太太：过来看看，安德烈。

比乌克大夫走近床。

比乌克大夫：在这儿吗，维克托？（沉默。梅克太太、斯昆克小姐、比乌克大夫和太太围在床边。比乌克大夫掏出他的手表，弯下身，抓住维克托的手腕。沉默。维克托从床上跳起，拨开人群，找他的鞋子，找到一只，把脚塞进去，找另一只)

维克托：（可怜地）我的鞋！

配玻璃者：（对米歇尔）你把先生的鞋弄到哪儿去了？

米歇尔：本来是您拿着的，先生。

配玻璃者：（用力地）去找！（米歇尔找鞋。找到了，递给维克托。维克托一把夺过鞋，一只鞋在脚上、另一只鞋在手上，往外走，很快转回头，又跑到楼道里，想说什么，说不出来，做了个无力的手势，随即做着疯狂的手势下场。沉默）多敏捷啊！（停顿）他忘了账单。（对米歇尔）快，拿上账单追他。快！

米歇尔：账单？

配玻璃者：（生气地）你多大了？

米歇尔：十岁了，爸爸。

配玻璃者：那你还不知道账单是什么？

米歇尔：（几乎要流泪）不知道，爸爸。

配玻璃者：结账，发票。纸，就在那儿。（推着他）去！走啊！（米歇尔拿起账单跑了出去）这是我儿子。他现在还是半个傻瓜。

比乌克大夫：我不觉得奇怪。

配玻璃者：啊，您不觉得奇怪！（他往前走，人们清楚地看到他拿着锤子和剪刀）

比乌克大夫：（后退）退回去！我带着武器。

比乌克太太：（跑向她的丈夫）安德烈！来！我们从这儿出去。

配玻璃者：（仍然往前走）闪开，太太。

梅克太太：戏开演了。您过来吗，奥尔加？

比乌克太太：过来，安德烈，别弄出不幸来！

配玻璃者：（改变主意）说到底……谁知道呢？……这可能有用……尽管我看不出怎么有用。（对比乌克大夫）冷静点，大夫，冷静些。我们是野兽吗？跟我们有关吗？不。那跟什么有关呢？应该试着去了解。说说看……（他抓住比乌克大夫的衣袖并把他拉到一边）

梅克太太：奥尔加，玛格丽特，过来！

克拉普太太穿着丧服上场。

比乌克太太和梅克太太：（合）维奥莱特！

克拉普太太：我儿子！他在哪儿？

斯昆克小姐：走了。

克拉普太太：走了？

斯昆克小姐：走了。

克拉普太太：（坐倒在床上）到哪儿去了？

斯昆克小姐：我们不知道。

米歇尔上场,手上拿着账单。

米歇尔:爸爸!

配玻璃者: (对比乌克大夫)不是吗?(对米歇尔)你要干什么,你?

米歇尔:我找不到他,爸爸。

配玻璃者:你找不到他?

米歇尔:找不到,爸爸。我到处都跑遍了,爸爸。不是我的错,爸爸。

配玻璃者:够了,爸爸来爸爸去的!

克拉普太太:这个人是谁?(配玻璃者走到她面前)您是谁?您是我儿子的朋友?您在这儿干什么?您这样看着我干什么?(她把双手挡在自己面前。她分开双手)您是谁啊?

配玻璃者:我是个配玻璃的,太太。请允许我向您吊唁。

克拉普太太:您吊唁?!

配玻璃者:是的,太太,我向您吊唁……(停顿)诚挚地。

克拉普太太:啊,您知道!(停顿)我在哪儿见过您?

配玻璃者:我不知道,太太。在大街上,也许吧,偶然相逢。要么您是把我当成另一个人了。

梅克太太俯下身对克拉普太太耳语。

克拉普太太:您这么看?(她看着配玻璃

的)也许……是的……你说得对……天啊!
(她流泪)

梅克太太: 维奥莱特!

克拉普太太: (擦拭着泪水,对配玻璃的)您是我儿子的朋友?

配玻璃者: 呃……还不是,太太。

克拉普太太: 您今天见到他了?

比乌克太太: 我们都见到他了,维奥莱特。

克拉普太太: 你对他说……

比乌克太太: 当然,维奥莱特。

克拉普太太: 他对你怎么说?

沉默。比乌克大夫一个人笑。

比乌克太太: 安德烈!

克拉普太太: 他在哪儿?(沉默。克拉普太太精神失控)他没死吧?(沉默)他死了!他死了!

配玻璃者: 五分钟前,是四分钟前,他还没有,还没有像活着的人所说的那样死去。

克拉普太太: 他活着!

配玻璃者: 心脏在跳动,这是确定的。

克拉普太太: 他刚才怎么样?

配玻璃者: 他神经质,太太,神经质。他看上去不怎么喜欢社会,甚至不喜欢亲人。

克拉普太太: 他知道了……

梅克太太: 是的,维奥莱特,我对他说了,我尽最大可能最大限度委婉地说了。

克拉普太太:然后呢?

沉默。

梅克太太:他有病,维奥莱特,不能太认真地看待他。

克拉普太太:(抱怨道)我本想看到他一个人在这里。我想做最后一次尝试!你们把一切都弄糟了!

梅克太太:都是出于好意,维奥莱特。

克拉普太太:(继续道)昨天来过以后我以为什么都不必再做了。可接着亨利(她抽噎着)去世了,不是嘛,我想他也许会听听我的话。(停顿)我现在是孤身一人(她抽噎着),孤身一人。(她哭了起来)

斯昆克小姐:听我说,维奥莱特,你最好回家去。你需要尽你的全力面对明天。

比乌克大夫:送她回去,玛格丽特。

梅克太太:来,我的亲爱的。

克拉普太太:我的儿子!我要我的儿子!

斯昆克小姐:交给我们做吧。

克拉普太太:把他给我找回来!

梅克太太:来吧!(她把克拉普太太拉向门口)

比乌克太太:你也走吗,安德烈?

比乌克大夫:我在你后面走,亲爱的。

(他吻她)和你姐姐一起走,她需要你。

比乌克太太:你在这儿没什么事可干。

克拉普太太:把他给我找回来!(克拉普太太和梅克太太下场)

比乌克大夫:有的,亲爱的。我会对你解释的。快点去吧。(他轻轻地推她到门口)你会看到的,一切都会解决的。(他轻轻地把她推出门外)过会儿见,亲爱的。(他关上房门)

配玻璃者:时间都浪费在配角上了!

米歇尔:(从一个阴暗的角落里出来,一个使观众将他遗忘的角落)爸爸!

配玻璃者:你还想要什么?

米歇尔:我想回家,爸爸。我饿了。

配玻璃者:您来听听这个小家伙的话。(对比乌克大夫)他中午吃了十个土豆,现在他就饿了。(对米歇尔)你不害臊吗?

米歇尔:我不舒服,爸爸。

比乌克大夫:他也许长了寄生虫。

配玻璃者:你听到了吗?你有寄生虫。到这儿来。(米歇尔过来)把你的舌头给大夫看看。(停顿)伸出你的舌头,小东西!(米歇尔伸出舌头,比乌克大夫借助一个小电筒观察着)

比乌克大夫:(关上电筒)胃镜。

配玻璃者:怎么样?

比乌克大夫:舌头黄,舌苔重,干燥。

配玻璃者：（掏了点钱给米歇尔）去买个三明治来。快点回来。听到了吗？

米歇尔：是的，爸爸。（他往外走）

配玻璃者：买两个。

米歇尔：是的，爸爸。（他下场）

配玻璃者：唉，小孩子家啊！

比乌克大夫：现在我们来解决这个问题。小姐和我，我们有事要做。

配玻璃者：我听你们安排。按您的看法，这到底是涉及什么啊？

比乌克大夫：这是涉及……如果我完全弄懂了我听到的各种说法的话，我妻子的，我大姨子的，还有您，亲爱的小姐的，这是涉及一种难以定义的心理状态。

配玻璃者：开头不错。

比乌克大夫：但愿您能接受。这个年轻人，由于一些还需要确定的原因，似乎对生活丧失了兴趣。他以前工作……（对斯昆克小姐）他以前写作过吧，我想？

斯昆克小姐：是的。评论家曾说，他会让人们谈起他的。

配玻璃者：人们应该狠狠臭他一下。

比乌克大夫：好的。他写作过。他现在不写作了。他以前经常很正常地回家。他后来离开了家，并不想再看到家里的人。他订婚了，这对于他的年纪来说非常正常，未婚妻是个很诱人的女孩，是的，是的，小姐，诱人的，但他不让她进门。(对配玻璃者) 对不起，您说什么？

配玻璃者：什么也没说。

比乌克大夫：他那时对巴黎这个光怪陆离的大舞台还怀有兴趣，艺术，戏剧，科学，政治，哲学的新流派，还有……

配玻璃者：简单点，简单点。

比乌克大夫：他使自己变成一个像法国历史上那些不问世事的懒王一样的人。是吗，小姐？好。这一切现在对他来说都死了，就好像他本人从来没有存在过。我说得夸张了吗，亲爱的小姐？

斯昆克小姐：没有。

比乌克大夫：他曾到处旅行，为了快乐也为了受到教育。现在……

配玻璃者：读哪个班？

比乌克大夫：现在他整整几个月也不挪一步，就待在这个……(环视四周) 肮脏的小屋子里。他曾经有过钱，现在……

配玻璃者：够了，够了，我们听明白了。

比乌克大夫：如果您总是打断我的话，我只有离开这儿。再说，我正求之不得呢。

配玻璃者：但是您没有说完。我们想听您说的不是本流水账。他什么都不再干了，他对什么都不再感兴趣了，他不再想看到任何人，这是公认的事。这些之外呢？要怎么做才能让他学会忍受？

比乌克大夫：让他学会忍受？

配玻璃者：是啊，这没意思，做一个这样的人。这长久不了的。

比乌克大夫：让他学会忍受？谁去教他？不，我们做的只是给他帮助，此外，在给他帮助的同时，给他的家人以帮助，并且……

配玻璃者：不对，不对，您不明白。他死了没人在乎，除非……

比乌克大夫：先生，如果您有什么话要说，有什么合乎情理的话要说，当然对此我很怀疑，您等会儿再说，先让我说完。您要我说我的看法。我给了您我的看法。这没什么要争论的。我从不争论。我很遗憾。我要继续说下去吗？或者我该走了？

斯昆克小姐：继续说，继续说，您是唯一说话我能听明白的人。

比乌克大夫：啊，小姐，您明白，您明白！（退想着）

配玻璃者：说吧，说吧，她根本不会明白。

比乌克大夫：我刚才说到哪儿了？

配玻璃者：在说梦话，说需要帮助他，还说，帮助他的同时，还要帮助他的家人，在帮助他的家人同时，还要帮助我也不知道是谁，可能是全人类吧。大夫，您应该是热爱人道的吧？

比乌克大夫：您真粗鲁。不过没关系。好的。是的。我刚才确实说到帮助他的同时我会帮助他的家人，而且，第一个是您，亲爱的小姐，被如此不加理解地遗弃，被如此怯懦如此疯狂地抛弃的小姐。因此问题简化成这样：找到个合适的方法来……怎么说呢？……来让他重新找回自我，并且从此找回别人。（沉默）这个方法，我有了……（他拍着自己的肚子）在这儿。

斯昆克小姐：啊，大夫，要是您真有办法就好了！

比乌克大夫：没错。（他思考着）我以前做领导时……这儿没有椅子吗？

配玻璃者：没有。他不再对椅子感兴趣了。但这儿有张床，在所有使生存腐化的东西中，这是他依然宽恕的唯一物品。啊，床！您坐。

比乌克大夫：（朝床看了一眼）谢谢。真不走运。我刚才说到哪儿了？

斯昆克小姐：您以前做领导时……

比乌克大夫：啊，对。我以前在圣-基收容所做领导时，是在上马恩省，我每天都面对，应该说是每两天，面对一个精神失控的罗马尼亚人，他认为自己患上了……（他朝斯昆克小姐看了一眼，压低了声音）梅毒。他根本没得病，如果我有必要对他说明的话。

配玻璃者：您当然有必要对他说明。

比乌克大夫：他每次总是带着绝望的声调问我，我是不是给他带毒药来了。毒药？我说，什么毒药，我的朋友，要它干什么？来结束我的痛苦，他回答道。可是，我亲爱的朋友，如果您下决心想结束您的痛苦，您具有一切必要的条件。您在食堂一天三餐，碟子、杯子、叉子，甚至还有刀子，一千种结束痛苦的办法都有。他这时发怒了，说我作为他的医生，应该是我而不是他来结束他的痛苦。但是事实上有什么痛苦呢？我说。您一点事儿都没有。十四个医生来检查过您，而且他们相互之间根本没有任何关系，他们都说没有发现您有任何病。有，有。他说，我得了……呃……（和刚才一样的做法）梅毒，您有责任给我消除它。我们的谈话就是这样结束的，每次都一样。（停顿）一直到有一天我按照他的要求给他带来了毒药。

沉默。

斯昆克小姐：（喘着气）然后呢？

比乌克大夫： 他立即就没病了。

沉默。

配玻璃者： 这个人没真疯。

比乌克大夫： 我不想浪费时间来讨论这个。（停顿）维克托呢，他真疯了吗？（沉默。突然，比乌克大夫做了些失常的手势，脚划着舞步，手臂摆着些奇怪的动作，就像是演员做的一些舞台手势。然后又安静下来。略显不安）昨天，在令人惋惜的克拉普先生面前——他是个不同寻常的人——我按照他的方式，向他表明了我对人类生存问题的看法，因为在我看来，这是个问题，尽管我们今天努力展示着相反的做法。（停顿）我甚至要说我看不出有其他的办法。（停顿）打个比方，既然不是只蚂蚁，也不是条鲸鱼。（停顿）您当时在场吧，小姐？

斯昆克小姐： 是的。

比乌克大夫： 您看，我没编造什么。在不断的追问下，我于是说——因为我不喜欢自我卖弄——我说，我想把很多思想家的建议作为自己的解决方法，解决这个意识上的问题，这个根本上是要消灭意识的问题。我说，是消灭的方式，是技术的层面令我尤其感兴趣，因为我是个实干家，我选用了几种在我看来最好的方式,来最大程度地迅速解决问题,而只带来最少的烦恼。我本人对此一刻也没相信过,但我有必要说吗?我想说,在一种很高的层次上,生活使我不再有任何想要看它结束的念头。最多是刹车嘛。(停顿)但是,我是个彻底的人,我有着自己的方式,大胆的方式,这是从某种角度上来说的,而且我敢说是正义的角度;对那些在与他们相关问题上同意我看法的人,那些比我更加烦恼更需要解决方法的人,我愿意为他们效劳。

斯昆克小姐:您是想杀了他!

配玻璃者:您认为他需要您来了结吗?假设他想了结的话。

比乌克大夫:亲爱的朋友,在结束生命的问题上,人们对他人援助的依赖程度是令人惊讶的。您对此没有体验。差不多就得拉住他们的手。(停顿)打个比方,说我的那个罗马尼亚人。他需要我的帮助结束他的痛苦吗?不。至少他现在是在伊阿西做牲口生意呢。他还时常给我写信。寄张明信片。他称我是他的救命恩人。他的救命恩人。哈!

配玻璃者:这不同。他自认为病得很重。

比乌克大夫:我不知道这个年轻人到底是埋怨什么。我想,是一些比不论什么病都更严重的问题吧,而且肯定是更模糊的。据说他的身体很健壮。假设他仅仅是抱怨生存，生存综合征。这能理解，不是吗？我们不是在十九世纪。我们懂得直面地看事情。好。我为他提供不再生存的方法，以最轻松的方式，脱离有意识的状态，进入最纯净的领域……

斯昆克小姐：不！不！我不要！

比乌克大夫：（狂躁地）还要对他说我将守在他身边，来保证这场转变不受抵触地进行下去。好了，我亲爱的朋友们，要么他发现一些好的理由——因为他是个脑力工作者，这显然没错——回到他同类人中去，给自己增添烦恼；要么……（做了个含义丰富的手势）不过你们放心，他变得和我们一样粗鄙的机会还是很大的。

沉默。配玻璃者来回地踱着步。奥尔加一副难过的神情。比乌克大夫则喜气洋洋。

斯昆克小姐：这太可恶了！不要这样！

比乌克大夫：小姐，如果我说得有点过火，如果我没有充分咀嚼我的词语的话，请把这归结于一种正在衰老的激情，一种正要熄灭的激情。这样说话，对我来说是呼吸另一种空气，我年轻时的炽热的、无辜的空气，趁我还没有升起黑旗、头脑衰竭。（激动地）小姐（他捏住她的下巴并托了起来），看着我。我像个吃人的怪兽吗？（他露出恐怖的笑容）相信我！我会救他的！就像我救韦罗莱斯科一样。

斯昆克小姐：可是，如果他要了呢？

比乌克大夫：什么？

斯昆克小姐：毒……毒……毒药。

比乌克大夫：他不会要的。

斯昆克小姐：但是，假如他想要呢？

比乌克大夫：那么，（努力地）那么，这就和我的原则冲突了，不过，为了让您高兴，那么，我们将阻止他用药。您看，亲爱的奥尔加，是的，请让我称呼您奥尔加，只要让您高兴我什么都可以做。

斯昆克小姐：可是，如果我们来不及呢？

比乌克大夫：（笑道）一看您就不通行情。这个漂亮的脑袋有多少事还不明白啊！完全不懂那些肮脏的事情！您怎么会这么想啊！我当即就会看出他是不是认真的。甚至在给他药片之前。

斯昆克小姐：是药片？

比乌克大夫从他马甲的口袋里掏出个小药瓶，从瓶里倒出一粒药片放在手心，递给斯昆克小姐。她犹豫着接过去。

比乌克大夫：就是这个。

米歇尔上场。他递给配玻璃者一块三明治。

配玻璃者：你吃过了吗？

米歇尔：是的，爸爸。

配玻璃者：你去闲逛了。

米歇尔：没有，爸爸。

配玻璃者：把找的钱给我。（米歇尔把零钱递给他，他数着）好的。拿着这个。（他把三明治递还给他）再拿着这个。（他递给他锤子和剪刀）你到那儿去乖乖地待着。（米歇尔坐在靠窗的工具箱上）

斯昆克小姐：（从对药片的凝视中挣脱出来）是这样啊！

比乌克大夫拿回药片，放在药瓶里，又把药瓶装进口袋。

比乌克大夫：是的，就是这样，这个小玩意儿，身体软弱无力，摇晃，一片没有尽头的白色，尽头，安详，停止。几点了？（他伸手看表）五点五分了！（他收回表）天啊！

斯昆克小姐：如果您……

配玻璃者：（下定决心）就这么说定了。这不是……

比乌克大夫：（对配玻璃者）闭嘴！（对斯昆克小姐）您说什么？

斯昆克小姐：如果您只给他一片阿司匹林呢？

比乌克大夫：（站了起来）小姐，我只是个可怜人，但是我不拿镇静剂开玩笑。不。我不搞这种事情。我可以做您想要的一切，令您高兴的一切，但不是这么做。

沉默。

配玻璃者：我插句话……

比乌克大夫：长吗？

配玻璃者：长不过您的。

比乌克大夫：我给您五分钟。

配玻璃者：我插句个人的观点……

比乌克大夫：等一会儿。请原谅。这件事跟您有什么关系？我不是很清楚。

配玻璃者：这您就不用管了。

比乌克大夫：好吧，好吧，您说。

配玻璃者：……这个观点和您的完全背道而驰。让他获得新生，就像您那么漂亮地说的那样，还是听任他继续蜷缩在这儿或者随他去死，这于我而言是完全无所谓的，只要一切都是合情合理的，您听懂了吗？

比乌克大夫：我承认……

配玻璃者：需要理由啊，老天！为什么他要对一切不闻不问？为什么要过这种荒谬的生活？为什么同意去死？需要理由啊！耶稣他本人是有理由的。人们不论做什么，都要大致知道为什么。否则，就会有人唾弃他。我们也会跟着附和。您认为我们是在和谁打交道？和唯美主义者？

比乌克大夫： 显然，我没明白。

配玻璃者： 您不认为我们都正在一件没有意义的事情周围兜圈子？需要给它找一个意义，否则只有举起白旗。

比乌克大夫： 然后呢？我看不出对无意义的事情举白旗有什么不好，再说这是最常见的情况。说到底，我看对您而言问题不在于此。我不纠缠这个。我只是想回答您。您想为这种……怎么说呢？……这种幻影式的生活寻找一个强行的辩护，按照您漂亮的说法，这样可以使主宰这种生活的那个人和那些被这种生活折磨的人能因此忍受下去。差不多是这样吧？好的。我做的事情，是让相关的人以最合适最愉快的方式，寻找战胜他的拒绝的可能。因为问题就在于一种拒绝，如果我没有理解错的话。

配玻璃者： 是的。但您讲道理时像头猪。

比乌克大夫： 这样你才可以更好地理解我。看啊。我给他（他拍拍他的马甲）我的小糖果。他拒绝了。好的。为什么？这完全不重要。他想活。这就够了。这就是一种意义。也许您会认为有点模糊，但足够了。人们会自言自语道——我从您的立场上说——可怜的年轻人！差点沉沦下去了！在最后时分终于梦醒了！悬崖勒马了！重新成为我们中的一员了！

请相信我，人们不会再要求更多。要么他会接受。这说明什么呢？他受够了。为什么？这完全不重要。他想死。这就够了。这很明显了。这非常清楚了。生存对他来说是种重负，他想与之一笔勾销。所有人都明白这点。现在不是第三共和国的时候了。用不着以什么下疳来做借口了。就是这样。就这样简单。（对奥尔加）您要走吗？

配玻璃者：您有将事情简单化的本事！

比乌克大夫：一切事物要么倾向于黑，要么倾向于白。色彩令人晕眩。（做了个像成功完成戏法的魔术师一样的手势）

斯昆克小姐：可他会回到这儿来吗？

比乌克大夫：回到这儿还是在别处，这不太重要。

斯昆克小姐：可他就不会见到您了。他就不会听您说了！他也不会回答您了！

比乌克大夫：（笑道）您不了解我。（停顿）还不了解。（对配玻璃者）晚安。（他拉着斯昆克小姐一起往外走）

配玻璃者：你们明天还来吗？

比乌克大夫： （停住脚步）越早越好。（他掏出记事本翻着）看，今天晚上……今天晚上我有事……明天……明天……我们要下葬……下葬……午饭……在遗孀家里……宣读遗嘱……瞧……明天下午，三点钟左右，三点半。（记下）这样可以吗？

斯昆克小姐：要是他不在这儿呢？

比乌克大夫：那么……那么，再看吧。走吧。（对配玻璃者）晚安。

斯昆克小姐：晚安。

斯昆克小姐和比乌克大夫下场。沉默。配玻璃者坐在床上，双手抱头。米歇尔从阴影中出来，站到他的面前。

米歇尔：（递过三明治）吃面包片，爸爸。

配玻璃者：（抬起头）呵，好的。（他接过三明治）你叫它面包片？（他将两片面包分开）这才是块面包片，米歇尔。这是另一块。（他又将两块面包片夹在一起）这叫三明治。明白了吗？

米歇尔：是的，爸爸。

配玻璃者：（嘴里鼓鼓囊囊的）三明治，就是两片面包片夹在一起。（沉默）重复一遍。

米歇尔：三明治，就是两片面包片夹在一起。

配玻璃者：好的。（沉默。配玻璃者思索着）听着，米歇尔。

米歇尔：是的，爸爸。

配玻璃者：你和我在一起快乐吗？

米歇尔：快乐是什么意思？爸爸？

配玻璃者：你多大了？

米歇尔：十岁了，爸爸。

配玻璃者：十岁了。（沉默）你都不知道快乐是什么意思？

米歇尔：不知道，爸爸。

配玻璃者：等有什么事能让你高兴你就知道了。我们觉得自己挺好，不是吗？

米歇尔：是的，爸爸。

配玻璃者：那么，这就差不多是快乐。（沉默）那么，你快乐吗？

米歇尔：不，爸爸。

配玻璃者：为什么？

米歇尔：我不知道，爸爸。

配玻璃者：因为你书读得不够？

米歇尔：不，爸爸，我不喜欢上学。

配玻璃者：你想和小朋友们一起玩？

米歇尔：不，爸爸，我不喜欢玩。

配玻璃者：我对你不好？

米歇尔：哦不，爸爸。

配玻璃者：你喜欢干什么？

米歇尔：我不知道。

配玻璃者：怎么，你不知道？总得有点什么吧。

米歇尔：（思索后说）我喜欢躺在床上的时候，在睡着之前。

配玻璃者：为什么?

米歇尔：我不知道,爸爸。

沉默。

配玻璃者：好好过这种时候吧。

米歇尔：是的,爸爸。

沉默。

配玻璃者：过来让我亲你一下。(米歇尔往前走。配玻璃者亲了他一下)你喜欢我亲你吗?

米歇尔：不太喜欢,爸爸。

配玻璃者：为什么?

米歇尔：胡子扎我,爸爸。

配玻璃者：你看,你知道为什么你不喜欢我亲你。

米歇尔：是的,爸爸。

配玻璃者：那么,说说看为什么你喜欢在床上。

米歇尔：(思索后)我不知道,爸爸。

沉默。

配玻璃者：你还饿吧?

米歇尔：是的,爸爸。

配玻璃者：(递给他三明治)拿着,吃了它。

米歇尔：(犹豫着)可这是你的,爸爸。

配玻璃者：(用力地)吃掉!

沉默。

米歇尔：你不饿了,爸爸?
配玻璃者：不了。
米歇尔：为什么?
沉默。
配玻璃者：我不知道,米歇尔。
沉默。

落幕

第三幕

次日。下午将过的时候。

另一个角度下的维克托的卧室。克拉普家那一侧已被墓穴吞噬。

门半开着,玻璃破着,配玻璃的工具乱七八糟地放在地上。

维克托独自一人,躺在床上。他在睡觉。配玻璃者在门旁。

维克托:(睡梦中)不……不……太高了……悬崖……我的身体……爸爸……勇敢些……勇敢的小家伙……我勇敢……是个勇敢的小家伙……勇敢的小家伙。(沉默。他翻着身。然后声音更大起来)英寻……深五英寻……低潮……浅海……深,深,浪深。(沉默。配玻璃的上场。他走向床)那儿的目光……千帆破浪……塔……受过割礼的塔……灯塔……灯塔……(沉默)

配玻璃者:受过割礼的塔,灯塔!啊,很美啊!(他摇着维克托)起来,垃圾!(维克托惊醒,坐起,惊慌不安)

维克托：（睡眼惺忪）不……不……明天，我……（他看到配玻璃的）怎么了？

配玻璃者： 四点多了！四点了！白天都要过去了。太阳落山了。您父亲入土了。您还在做您的春梦！猪猡！

维克托： 我要喝水。

配玻璃者：（掀开被子）起来，天哪。有人要见您。

维克托坐在床沿。和前一天一样的打扮，只是少了外面的夹克。

维克托： 我渴得要命。（他舔着嘴唇）有人要见我？

配玻璃者： 幸好我经过。要不他们会看到您在打呼噜。

维克托： 谁？谁会见到我？

配玻璃者： 啊，终于回过神了！

维克托： 我走。（他站起身，开始四处寻找）

配玻璃者： 打个比方，是个受嘱托的执委会。今天是第三天，阳光明媚，一切都该澄清了。一个小时后我们就会知道是怎么回事了。您在找什么？

维克托： 杯子。

配玻璃者： 杯子？这儿？您有女佣的啊。

维克托：（寻找着）那天我看到来着。

(他朝床底下看,看到了杯子,拿起来,出去,到楼道上,回来时杯子里盛满了水,坐在床上,一口气喝光水,又走到楼道上,回来时杯子又盛满了水,喝了两大口,再次喝光水,将杯子放在床上,起身,寻找)

配玻璃者:你家里有放酒的地窖吗?

维克托:什么?

配玻璃者:像您这样时髦的人,家里应该有放酒的地窖啊。

维克托:在土中沉睡三千年的麦种,又长出了麦芽。(停顿)据说如此。(他寻找着)

沉默。

配玻璃者:你翻来覆去地干什么,就像……就像个地狱里受苦的冤魂一样?

维克托:我在找我的鞋。

配玻璃者:(也开始寻找,过了一会儿)找到了一只。(他踢给维克托,维克托穿在脚上)您想出去?

维克托:(寻找着)另一只呢?

配玻璃者:(把门关上,背靠在门上)您出不去了。

维克托:昨天晚上还在的。

敲门声。

配玻璃者:他们来了。(他打开门。雅克上场,手里提着一只鞋。他惊讶地看着配玻璃

的,想和他说话,又改变了主意,走进房间)

雅克:我希望我没有打扰先生。

维克托:(看着鞋子)您是在哪儿找到的?

雅克:在楼道上,先生。我想我是认得先生的鞋的。(他把鞋递给维克托。他接过鞋,端详了一会儿,放在地上,把脚套进去)

配玻璃者:奴才!

维克托:要看我的人是您?

雅克莫名其妙。

配玻璃者:尽管先生会不高兴,但是他不是要看先生的人。

雅克:先生在等人?

维克托:不,我要出去。

雅克:先生平安回来的吧?

维克托:我不知道。(他又开始寻找)

雅克:先生在找东西?

维克托:我的夹克。(雅克帮他找夹克)我弄丢了。(他向门走去)

雅克:先生别不穿夹克就出门!

维克托:(对配玻璃者)让我过去。

配玻璃者:不。

维克托:(对雅克)帮我出去。

雅克:先生不能出去吗?

维克托:他不让我过去。

雅克:(走近门)我该怎么做,先生?

维克托：强迫他让我过去。

雅克：（走向前，对配玻璃者）您从这儿走开。（配玻璃者猛地推了他一把。雅克踉跄着后退几步，停住）

维克托：（对雅克）你们两个一起让开。

雅克：（失去热情）就依先生想的吧。（他向前走）

配玻璃者：停住！（雅克停住）您爱您的主人吗？

维克托：别听他说。来，一起把他推开。

配玻璃者：他爱他的儿子吗？

雅克：（想使所有人满意）这与您有关系吗？

维克托：（无力地）走开。一，二……

配玻璃者：（对雅克，用力地）他得留在这儿。为了他好。（停顿）要不，我会毫不迟疑地把你们两个都打趴下。

沉默。维克托走到床边坐下。雅克窘迫不安。

雅克：先生生气了？（沉默）我很惭愧，先生。武力征服是我力所不能及的，先生。我请求先生原谅我。

维克托：是的，是的。（沉默）您想干什么？

雅克：我有些话要对先生说。（停顿）没人派我来。我想……

维克托：说吧。

雅克：太太，也就是先生的母亲……

配玻璃者：这样多礼有必要吗？

维克托：他说得对。试着像一个人一样说话，而我是和您同样的另一个人。如果这样不妨碍您的话。

雅克：先生，您母亲病了。葬礼推迟了。

维克托：一石二鸟。

雅克：（略带愤慨）葬礼明天进行，先生，最新定的时间。

维克托：那么，不是因为这个。

雅克：我想应该通知您，先生。太太心力衰竭了。

维克托：就这些？

雅克：还有，先生。比乌克大夫昨天夜里也发病了。他现在卧床休养。

配玻璃者：妈的！

维克托：哪个大夫？

雅克：比乌克大夫，先生，您的姨夫，先生。

维克托：我的姨夫？

配玻璃者：对，您的姨夫。（对雅克）他怎么了？

雅克：我也不清楚到底怎么了。

配玻璃者：严重吗？

雅克：我想是相当严重的。

维克托：您是为这个来这儿的？来对我说我母亲心力衰竭，还有我姨夫——我以为我小姨还是个处女呢——夜里发病了？

配玻璃者：他今天话可不少！

雅克：我想应该让先生知道……

配玻璃者：嘿！

雅克：……想让您知道家里现在是什么样，在葬礼的前夜。

配玻璃者：他根本不在乎。

雅克：还有，我想确认先生……您昨晚是否平安回来了，想对您说我们——玛丽和我——是多么高兴听到您的话。

配玻璃者：话？他讲话了？

雅克：可能我有点放肆，但您走了以后家就不再是那个家了，维克托先生。没人对我们说什么，当然，但我们所知道的已足以对您过的日子有个概念了。（环视着）一点模糊的概念。我们……我没烦着您吧，先生？（沉默）我烦您了，我知道。

配玻璃者：没什么，继续说。

雅克：我可以继续吗，先生？

维克托：（对配玻璃者）您会让我过去吗？

配玻璃者：请理解我。我只要求一样东西，就是您像个样子。闪现一点点的理性。让人看到您会说："啊，是这样啊，现在我开始懂了。"这时我就消失。

维克托：（对雅克）继续吧。

雅克：我不清楚怎么说下去。我只想让您明白……

配玻璃者：万一能明白。

雅克：我们是多么感动，玛丽和我，当听到您对我们所说的话时。昨天晚上我们本想对您说这些，可是您走得那么匆忙。

配玻璃者：耐心点，耐心点。

雅克：我们经常问自己到底发生了什么，为什么您再也不回家了。看到先生如此哀愁，我们是多么难受啊。我们不愿意去想您受的罪，您对我们是那么好，然而有时候……所以，您能向我们解释，这对我们来说实在太重要了。

配玻璃者：解释？他解释什么了？

雅克：（吞吞吐吐）嗯……他向我们解释……他对我们说为什么……为什么他不能不这样。

配玻璃者：他对您解释这个？

雅克：是的。

配玻璃者：您听懂了吗？（雅克窘迫）您根本什么都没懂。

雅克：就是说……

配玻璃者：您记得起他说了什么吗？

雅克：我们听懂了这很严肃，这不是……

配玻璃者：我要您对我复述一句话，只要一句话。（沉默）太妙了，他不光只想在暗地里做解释，而且还要些蠢货做配角。

雅克：当时的情况下意思是很清楚的。这不是一件能叙述的事情。有点像音乐那样。

配玻璃者：音乐！（他在门前来回地走着）多少罪行！多少罪行！（他停住）音乐！我从中看到了这些。生，死，自由，还有其他诸如此类的东西，表明自己没被大话骗倒的看穿事态的微笑，无休止的沉默，瘫痪的人做着手势来表示不是这样，哦不，人们这么说但事情不是这样，是另一回事，完全是别的事，您能怎么办，言语不是用来表达这些东西的。那么我们闭上嘴，带点羞涩，羞涩，晚安，我们去睡觉吧，神志不清的人才会说饮食男女之外的话。呵，我听到了，你们的音乐。你们都醉了，显然。

雅克：醉了？

配玻璃者：他说话。说的是音乐。你们听他说。你们明白了。你们此后不再明白。他丢了他的鞋。他丢了他的夹克。下午四点钟，他还在打呼噜。他说着梦话。塔……受过割礼的……灯塔……灯塔……您来看他是否回去过。很清楚。（对维克托）我敢打赌您对您说过的话一个字也想不起来。

维克托：什么？我现在可以出去吗？

配玻璃者：您看到这个家伙了吗？

维克托：我不明白。

配玻璃者：这是个仆人。

维克托：可我知道啊。

配玻璃者：他特意放下自己的工作来感谢您昨天晚上发慈悲对他的告白，对他，还对一个叫玛丽的女人。这，您理解了吗？

维克托：告白？（对雅克）我对您告白？

配玻璃者：如果您愿意就称这是告白吧。您对他说了些什么？

维克托：可是……我想不清楚了。这不重要。

配玻璃者：一段不重要的音乐。你们当时都醉了，我告诉你们。

雅克：我向您保证……

配玻璃者：您没见过这种性格乖戾的人。他们一见到酒瓶塞，就会倒在地上打滚。您无法让我相信，他看到他父亲的遗体时，可以不借助一点兴奋剂。

维克托：您别提到我父亲。

配玻璃者：（搓着双手）啊，总算有这个能治他了!

观众：（站在一间包厢里）停！（他动作僵硬地跨过包厢的护栏，谨慎地下来，走到舞台上。他朝床走去）请原谅我贸然闯入。

配玻璃者：有人委派您来？

观众：不，不完全是这样。但我去过酒吧，到过人家，我和亲戚朋友都讨论过。我甚至还碰上了一个批评家，在第一幕之后的幕间休息时。

配玻璃者：他是进来还是出去？

观众：他出去。

配玻璃者：简单地说，您是去探风。

观众：对了。

配玻璃者：是他带着您。

观众：您可以这么说。但实际上我只需要听自己的。因为我不是一个人，我是成百上千的观众，大家彼此相差甚微。我一直就是这样，就像一张旧的吸墨纸，具有完全变化不定的多孔性。

配玻璃者：您不该烦自己啊。

观众：（严肃地）啊，会的，有时候会。

配玻璃者：您总是这样，像张旧的吸墨纸？

观众：先生，我还在襁褓的时候，我母亲有几次拒绝给我喂奶，可能觉得我喝得太多。唉，我理解她！

卡尔太太上场。

卡尔太太：我受够了。

配玻璃者：我也是。

卡尔太太：（朝床走去，对维克托）最后一……（她看到观众）这是谁，这个人？

配玻璃者：这是人民委派的人。

卡尔太太：我没看到他经过啊。

配玻璃者：他从屋顶上下来的。

卡尔太太：（对配玻璃者）您不觉得自己是一块吗？

配玻璃者：一块？一块什么，太太？这种新颖的暗示是什么意思？

卡尔太太：啊！（厌烦的手势。对维克托）最后一次问您，您是留下还是走？

维克托：什么？

卡尔太太：（粗暴地）我问您您是留下还是走。我烦死了。

配玻璃者：不止您一个人。

维克托：我是留下还是走。（他思索着）您想知道我是留下还是走？

配玻璃者：不，您没懂。她想……

卡尔太太：（对配玻璃者）闭嘴！（对维克托）昨天您先是走了，然后您又不走了，今天早上您又走了，而现在您又一直在这儿。您拿着账单。给我付账然后滚蛋。我房间里有两个人。

维克托：您不能这样赶我走。

卡尔太太：赶您走？是您自己闹着要走！

维克托：我想我是搞错了。

配玻璃者：哎哟，这是干什么啊，来这一套？您没看见我们是在讨论问题吗？这是个历史性的时刻，而您过来说您租房子的事情让我们烦。

卡尔太太：我才不管你们什么讨论。

维克托：听着，卡尔太太，我马上就走……（他进入遐想中）

卡尔太太：我……

配玻璃者：嘘！他在沉思。

沉默。

维克托：我要去找个空间。

配玻璃者：多么有诗意啊！多么深刻啊！

维克托：然后我对您说我的决定。

卡尔太太：您回来时还会对我说您改变主意了。

维克托：不，卡尔太太，这将是个不变的决定，我向您保证。

卡尔太太：因为，我，我受够了。

配玻璃者：那么，我呢？

卡尔太太：忍受了这么多。（她比画着程度。她下场）

沉默。

观众：这位太太说得对。（停顿）我刚才说什么了？啊对，我母亲，是的……

包厢里的声音：没完没了！够了！

配玻璃者：显然，您总归比臭鸡蛋要好。

观众：我没许诺什么！（掏出怀表看表）十点半了。也就是说持续了一个半小时了。（他放回怀表。对维克托）您是怎么考虑的？

维克托：什么？

配玻璃者：别把事情激化。

观众：您说得对。我会试着保持安静，并且迅速解决。因为时间（他掏出怀表看表）紧迫。（他放回怀表）你们坐下来。

配玻璃者：我们坐下来？

观众：是的。我们所有人都看够了你们像树叶一样飘来飘去，在虚无中飘荡。

配玻璃者：可坐在哪儿？

观众：地上，床上，你们爱坐哪儿就坐哪儿！

配玻璃者：（对雅克）喂，朋友，您怎么认为？

雅克：我该走了。

观众：（猛烈地）你们坐下来！（雅克和配玻璃的在床上坐下，后者装作急匆匆的，在维克托左右来回转着，将维克托撑着身体的肘部猛地拉直。观众转向包厢）**给我拿把椅子来，莫里斯。**（有人给他端来一把椅子）**我的大衣。**（有人将他的大衣递给他。他将椅子放在床前，穿上大衣，坐下，跷起一条腿，手挠着秃头，又站起身，朝向包厢）**我的帽子。**（有人把他的帽子递给他，他戴上帽子又坐下）

配玻璃者：我忘带我的拍纸簿了。

观众：我会很简略的。除非你们确信自己能说点有头脑的话，否则请不要打断我。到现在为止我们有点缺少思想。（他清了清喉咙）就是这样。我试着保持说话得体。这场闹剧有着……可我忘记了。在开始之前，（对配玻璃的）我想知道您儿子今天上哪儿去了？

配玻璃者：他病了。

观众：这个回答对于这场演出来说很匹配。我没问您他怎么样了，我问您<u>他上哪儿去了</u>。

配玻璃者：他在家，在床上。

观众：他妈妈呢？

配玻璃者：（威胁地）您用不着管他妈。

观众：那好，那好，我们就想知道这么多。

配玻璃者：你们很走运。

观众：好，这场闹剧，（他又重新清着嗓子，但这一回他没有把成果吞下去，而是将它排在手帕中）这场闹剧持续得太久了。

配玻璃者：我也想这么说。

观众：我是特意说闹剧的,想把您也涵盖在内。这就是我们最杰出的作者们干的事,把这类作品称为他们最严肃的作品,而人们不知如何去严肃地对待它们。

包厢里的声音：屁话够多的了。够了,够了。

观众：真奇怪。一上舞台,和你们在一起,我就开始忘记我的一套了。(停顿)不过还是有很多要说的。(停顿)一切变得模糊、含混,我再也看不清了。(将手放在眼前)我甚至不知道我刚才说了什么。

包厢里的声音：闹剧,闹剧。持续得太久了。

提台词的人从他所在处走出来,走上舞台,手里拿着脚本。

提台词的人：够了!结束吧!你们不按照脚本说台词。你们真让我恶心。晚安。(他下场)

配玻璃者：脚本!脚本!把脚本给我们留下来!(脚本从空中丢过来,摔在地上)我们现在可就美了!

观众：我要最后努力一回。

配玻璃者：且慢!(对雅克和维克托)你们有什么要这样嘟嘟囔囔地说的?(他们闭上

嘴。对观众）面对这样一个家伙该让人怎么办？

观众：我来这儿就是要对您说这个。现在，我想起来了。这场闹剧……

配玻璃者：您用不着同样的话重复十遍。您现在不是跟批评家们上厕所。等会儿再说，等会儿！

观众：您又提到批评家就错了。他们可受不了每出戏都被踹上几脚。这不像老婆跟人偷情。

配玻璃者：说您要说的，把话说完。

观众：我注意到一件事。我没有走。为什么？因为好奇？如果你们愿意这样认为的话。因为我从定义上说有卑劣的一面，是要看你们能不能让他说话——如果你们愿意这样认为的话。想看到你们那一幕荒诞的毒药戏？我承认是这样，我也是个饶舌的人，不像那位先生，别人想让他说话都办不到。此外，我朋友的妻子十一点钟之后才有空，而且这儿比咖啡馆里要稍微暖和点儿。（他打了个寒战，竖起大衣的衣领）可是这一切，都算不得什么。不，如果我一直待在这儿，那是因为在这个故事里，有种东西令我完全动弹不得，使我目瞪口呆。如何向你们解释这一点呢？你们玩象棋吗？不玩？这没关系。你就好像在看最次的棋手们下棋。三刻钟了他们没有动一颗子，他们就像一对蠢货，朝着棋盘打哈欠；而你也在这儿，比他们还蠢，待在原处不动，这么多的蠢招让你恶心、厌倦、疲劳，也让你惊叹。一直到你实在无法忍受下去。于是，你告诉他们，这么下，那么下，你期待什么呢？这么下，棋就终局了，我们可以去睡觉了。这是不可原谅的，这是有悖于最基本的常识的。这些家伙，你甚至不认识他们，更要命的是，你要么就得这么做，要么就会神经病发作。这差不多就是我的处境。*Mutatis mutandis*[①]，当然了。你们听明白了我说的话了吗？

配玻璃者：没有。我们不玩象棋。

观众：是这个仆人的故事让我们彻底受不了。你们的小丑，你们叫他什么？……（他翻着他的节目单）维克托，他装着想对我们说什么，可他跑到后台对一个愚蠢的仆人说他鸡毛蒜皮的事。不，不，总得有限度吧。

配玻璃者：（对雅克）您受得了他这样对您？

雅克：你们需要一个仆人。您得忍受他具备仆人的灵魂。

配玻璃者：噗！（他捂住自己的眼睛）

观众：一种像这样的无意识……

---

① 拉丁文，意为"改变必须改变的"。

配玻璃者：说实话您真招人烦，您实在招人烦。您对事情一点都没明白。您来到这儿，跳来跳去，发着噼里啪啦的声响，口袋里装满了办法。可都是些什么办法呢？您拖着我们唠唠叨叨都十分钟了，我们一直在等着办法呢。除了您象棋的故事，而且这根本站不住脚，您还什么都没说，要是我，我都说上一百回了，而且说得好得多。您打搅了我们，就是这样。您以为他会对您说知心话？不，您在他看来是个讨厌鬼，又一个招人烦的家伙，就是这样。（他站起身，突然发起火来）您来这儿到底想干什么？赶在我正要套出他话的时候！赶在一切就要解决的时候！（他向前走）给我们从这儿滚开！滚开！（他随着维克托的动静转过身来，后者正站起身朝门笨拙地冲过去。配玻璃者赶上去，抓住维克托，打了他一个耳光，把他拉回床上，强迫他坐下。对维克托）下流坯！（他举起手。维克托蜷起身子示弱）

观众：哎呀呀呀呀！别这样！别这样！

配玻璃者：我最后一次警告你。然后我就把你打翻到沟里，踢你的屁股，踢上几千脚。狠狠地踢！狠狠地踢！

观众：这可要引起一场暴风雨。

配玻璃者：对，我就是要引起它，暴风雨。这总比你们这些人习惯咩咩叫着哀求好！

（他狂躁地冲向维克托，摇晃他）害人虫！渣滓！你到底想不想说话！说话啊！（他突然松开手，趴倒在床上）维克托！（他双手抱住头）

观众：（他重新坐在椅子上，双手背在身后，手指靠住椅背，以一种优雅的姿态）我会很简略的。在这场喧闹中，我分辨出两种对峙的态度。我分得不是很明确，但是我能分辨出来。（对配玻璃者）首先您的态度，我不知道该说它是道德的、唯美的、理智的，还是认为它只不过是像经济上泰罗主义那样的过分敏感，因为您的取向是模糊而混乱的。另一种态度简单得多，那个大夫的……（他翻出节目单看）比乌克大夫，在他被认为会说法语的情况下，他似乎相信人们有必要从痛苦中回头，准确点说，像黑暗中的蝴蝶那样盲目回头。我说对峙，而它们甚至没有对峙过。模糊点、偷点懒的说法，它们是共存的，如果可以称之为存在，反正是半斤八两，没人在乎。就是这样，你们想使这个可怜的……（看节目单）这个可怜的维克托成为戏里的小丑。（他擦拭着前额）但这一切都还没什么。可怕的是，你们始终围着某件事转，哦，我看不是什么重要的事，但这足以让我们消磨一个夜晚。围着转，围着转，从来接触不到，真可怕。（停顿）到底是谁写了这么个蹩脚的作品？

（节目单）贝克特（他读成："贝克"），萨缪尔，贝克，贝克，这应该是个混杂着奥维涅血统的格陵兰犹太人。

配玻璃者：没听说过。看起来他是个用叉子吃餐盘的人。

观众：这不重要。见他的鬼。但是不，严肃地说，这应该有点什么意思。通过清新的思想、通过清新的语言，您看到有两种生活，两种原则，信仰和享乐，信仰任何东西和从一切中寻找快乐，但这个可怜人他既不想要这个也不想要那个，他筋疲力尽地寻找着别的东西。因此，从这点上看，可能会使人觉得可笑。还是去他的吧。

配玻璃者：您喜欢直截了当、明明白白的情景，嘲讽人的、搞笑的故事。

观众：那么您呢？

配玻璃者：哦，我嘛，您知道，我不再需要什么东西。我的要求以观感为基础。尽量少用煤气灯，只要让人能欣赏雾景，我就会满意地回到虚无中去。

观众：听着。如果不从头重新来过的话，我们就别再说什么不存在、什么不能存在了的话题。事情是怎么样的就怎么样看待它们。您想……

配玻璃者：事情是怎么样的就怎么样看待

它们?!您是从哪儿冒出来的?从马赛的加纳比埃尔大道?

观众:您想让他说话,是不是?

配玻璃者:啊!这是个想法。我从来没想过这个。

观众:让他对我们讲一点他对这个音乐迷讲过的话。您觉得这怎么样?

配玻璃者:这是个天才的想法。(他彬彬有礼地转向维克托,举起头上的贝雷帽)对不起,先生。(他轻轻拍着他的肩膀)对不起,先生,原谅我打断您的谈话,可是,如果您能向我们简述一下昨天晚上您私下里在酒精作用下发表的宣言,您就是帮了我们的大忙了!(态度越来越谦卑,语气越来越温柔)多难帮的忙啊!

观众:您做得就像头笨猪。

配玻璃者:(双膝跪地,双手合十)先生!先生!求您了!发点善心,为那些在黑暗中匍匐前行的人发点善心吧!(他夸张地作洗耳恭听状)安静!现在是帕斯卡的空间!(他泄气地站起身来,掸着裤子膝盖部位的灰。对观众)您看。(他思考着)我走了。您来代替我,是吗?到他身边去,到他们(朝观众席方向指去)身边去。先谢谢您了。

观众:您疯了!您怎么可能忘了呢?还是

您根本就没在意？一件显而易见的事！

配玻璃者：我回我的家了，回奥日河畔的伤心地。各位晚安。(他往外走)

观众：（用尽力量以至于开始咳嗽）他怕疼！（配玻璃者转身。咳嗽声）他是对您本人说这个的！蠢货！他唯一确认过的事情。

配玻璃者：您太夸张了。

观众：——他唯一的失误——您没有利用！（他拼命地咳着）

配玻璃者：您呛着了？

观众：（镇静下来）您会对我说这不管用了，太晚了，棋局大势已去。也许是这样。这没关系。您要做的只有这样了，按您目前力所能及的情况看。您会说在胁迫中说的话没有任何证词方面的价值。有的，有的，不论说什么都是内心的流露。

比乌克太太上场，匆忙地。

比乌克太太：安德烈！安德烈！（雅克站起身）我的丈夫。您没看见我的丈夫？

配玻璃者：（对观众）您没看见她的丈夫？没有？我也没有。（他朝床下看）他不在这儿，太太。

比乌克太太：他没来过吗？

观众：没有，太太。我们本来还等他呢，等得甚至都有点不耐烦了，后来就有人说他夜里发病了。肝病，是吗？不过说到底，什么病不重要。某种病发作。夜里。于是，我们得出结论他不会赴约了。（对配玻璃者）是这样吗？

配玻璃者： 我完全做的是同样的推理。

比乌克太太： 是的。他病得不轻。他应该在床上休息，冰袋敷在额头和……和肚子上。我从房间里出去了一会儿（她搓转着双手），我真倒霉啊，可我不能做别的啊，然后，当我回去的时候，他就不在了！他跑了！半裸着身体！帽子也没戴！（泪水涟涟）安德烈！帽子也没戴！我知道他今天下午该来这儿。所以我就叫了辆出租车。可他不在这儿！

配玻璃者： 什么家啊！

观众： （彬彬有礼地）也许您只是在他之前到了，太太。等一小会儿。他很快就来。

比乌克太太： 可他现在连自己干什么都不清楚了！太可怕了！

观众： （吃惊地）他现在连自己干什么都不清楚了？

配玻璃者： 您刚才是在您姐姐家吗，太太？

比乌克太太： 维奥莱特？不是。怎么？您觉得他可能去那儿？

配玻璃者： 既然他不清楚自己干什么。（停顿）他也许想知道她的情况。

比乌克太太： 但他甚至不知道……不，他知道她病了。我昨天晚上对他说过的。可他也许会忘记。他失忆了。他连我也认不出了。

观众：如果他失忆了，他来这儿的可能性不大。再思考思考，亲爱的太太。

比乌克太太：但他可以回忆起一切，一下子全想起来。（配玻璃者歇斯底里的笑声。他来来回回做着些失控的手势）怎么办？

这一插曲突然结束，仿佛有一种疲倦而自鸣得意的感觉占据了上风。无力的、无动于衷的手势，耸肩。甚至雅克都差点说出："太太为什么不报警？"他举起手，又无力地放下。比乌克太太神情沮丧。她走到门口，犹豫着，又回转身，想说话，又改变主意，下场。给人一种整场戏也将如此结束的预感。

雅克：让我走吧。

配玻璃者：（对观众）没人需要他了？

观众：我不需要。

配玻璃者：（对雅克）那么，您可以自便了。

雅克：（对维克托）先生不需要什么了吗？

配玻璃者：走吧，走吧，走吧。先生什么都不想要。快走吧。

雅克犹豫着，忧伤地看着维克托，举起手，下场。

观众：来吧。最后的努力。

配玻璃者：你这么认为？

维克托：我渴了。

观众：他说什么？

配玻璃者：说他渴了。（停顿）我不清楚刚才我们说到哪儿了。这些人插进来闹的。

观众：他怕疼。

配玻璃者：啊，是的。也许他说谎了。

观众：我们会知道的。

配玻璃者：不能折磨他。

观众：为什么不？

配玻璃者：不该这么做。

观众：什么时候开始？

配玻璃者：我不能。

观众：我也不能。

配玻璃者：那怎么办？

观众：您瞧着吧。（他转身面朝包厢）楚奇！过来。（楚奇来到舞台上，向前走着，脸上带着东方人的灿烂笑容）你明白了。（笑容更加夸张）你带了钳子吗？（楚奇展示着钳子。对配玻璃者）跟他解释。

配玻璃者：维克托！（他摇晃着他）你必须说话了，现在。

维克托：什么？

配玻璃者：你必须解释清楚。

维克托：解释什么？我不明白。你们走吧。

随着观众的手势,楚奇向前进。

维克托:(对观众)他是道士?

观众:狂热的教徒。

配玻璃者:哎哟! (楚奇向前进)维克托! 醒醒! 这一次可来真的了。人家要掀您的指甲了。(对楚奇)是这样吗?

楚奇:先乃子个兹甲。

配玻璃者:(对维克托)您听到了吗?先来几个指甲。

维克托抬起头,看到了中国人,看到他的笑容,还有钳子,恐惧地后退。

观众:他明白了。

配玻璃者:(他用力地扶住维克托)说话啊。

楚奇向前进。

维克托:(恐慌地)什么?说什么?我不会说!你们想对我怎么样?你们是杀人犯!

观众:(对配玻璃者)问他些问题。

配玻璃者:把您对雅克说的再说一遍。

维克托:可我什么都没对他说!我不记得了!我忘了!你们有什么要冲着我来的?我对你们什么也没干过!放开我。

观众:这太模糊了。但不管怎么说,开始说话了。(对楚奇)你带了导尿管吗?

楚奇取出一根导尿管,展示。微笑。

配玻璃者： 的确，他对我们什么也没干过。

观众： 他的错误就在于不知道如何把自己藏匿起来。问他些问题。

配玻璃者： 为什么您要离开您的家人？您的未婚妻？您的娱乐？您的工作？您为什么要过这样的生活？您的目的何在？您的想法是什么？

维克托： 我不知道。我不知道。

观众： 您一次问他太多了。

配玻璃者： 为什么您要过这样的生活？不，不是这个。首先，您这两年多来过的是什么样的生活？什么……

观众： 够了。楚奇。（示意他向前进。楚奇向前进。观众也向前进。他们在维克托面前停住）您听到问题了吗？您过的是什么样的生活？（钳子在晃动）

配玻璃者： 快说点什么啊！随便什么。我们会帮您的。

维克托： 我试试看。

配玻璃者： 太好了！（对观众和楚奇）你们走远点！给他透透气。（观众和楚奇向后退）

维克托： 我要说的不是实话。

配玻璃者： 一点关系都没有。

维克托： 听上去会让人烦。

配玻璃者： 这也不重要。

维克托：是您愿意这样的。

配玻璃者：完全正确。（沉默）注意，他就要开始了。

维克托：在我小的时候……

观众：求您了，别像说历史故事一样，我们时间有限。就问题本身说。

配玻璃者：维克托说话被人打断了！我们全都看在眼里！

维克托：你们觉得我生活的方式肮脏不堪，不可理解。你们看到它后，本应当厌恶地转过头去。可你们是怎么做的？你们兴味盎然，不知疲倦。你们不能抽身离去。你们不停地围着它转。什么也不会使你们泄气。当夜将我们分开时，你们想到了我。

观众：因为您已经成为公众人物了。

维克托：我使你们着迷。为什么？你们问问自己。该问的人不是我，是你们自己。

配玻璃者：的确，他不会说话。

维克托：我的家人，我的未婚妻，我的朋友们，也许他们对我热心是很正常的，以人们所说的正常来看。可你们呢？你们是陌生人。我不认识你们。我怎么生活能给你们带来什么？你们还不是第一个。自从我这样生活以来，在按你们说的两年的时间里，我就是陌生人追逐的对象。

配玻璃者：人们想理解。您引发了他们的兴趣。

维克托：可为什么要对我的生活突然如此狂热地想去理解？你们每天都面对着无数的秘密，却安安静静，无动于衷。你们停在我面前时，却被吸引住了，渴望着意识到什么，低三下四地表示着好奇，拼命想看个清楚。（沉默）嫉妒！（沉默）圣人、疯子、殉道者、死刑犯，都不会使你们不安，因为这些都是符合事物的秩序的。他们是些异类，你们永远不会和他们为伴，至少你们这样希望。你们不会嫉妒他们。你们绕他们而行。你们不愿想到他们。他们让你们充满恐惧和怜悯。（沉默）面对一种并非死亡的解决办法，你们内心充满了恐惧和怜悯！也有满足的惬意。你们是安静的。没有必要费脑筋。与你们无关。如果说这些人远离了你们的悲惨，但他们存在于另一种悲惨，而且是一种无法想象的悲惨，他们为此付出了代价。于是，没有什么可挑剔的。账是结清了的。

配玻璃者：话真够长的！

维克托：我现在可以不说话了吗？

观众：您不说话了！可您还没有说任何有用的话。请您从那些泛泛的空谈中走出来。我们操心的是您的具体情况，而不是整个人类。

维克托：但他们是相互关联的。

观众：什么？空话！此外，说话的时候声音再大一点，有人听不到你说什么。（沉默）您快一点！

配玻璃者：给他点时间。不着急啊。

观众：时间！您知道现在几点了吗。（他掏出怀表看表）十一点了！（他放回怀表）都过了。

配玻璃者：您的表快了六个小时。

观众：别绕来绕去了。我们问了他一个清楚明白的问题：您过的是什么样的生活？他用一大串荒唐的话来回答，说我们的生活和疯子们的生活。让他就问题本身回答，不然我就要用杀手锏了。

配玻璃者：（对观众）我马上就能把你的脸打烂。

维克托：我过的生活？是一个不愿过您那种生活的人所过的生活——哦，我说的不是您私人的生活，没人愿意说那个，我说的您的生活，意思是说在您和那些被人们称为真正活着的人之间，生活只存在着程度的区别。但是，不论这种高级生活是什么样子的，您的或是别人的，我都不想过；因为在我的头脑中，这始终是同样的苦役，程度不一而已。

观众：可是您活着。您不能否认。您的生活与我们的生活区别在什么地方？显然是有区别的。但说到底是什么呢？

维克托：您真的感到我活着？您能屈尊将您和我比？您和最卑贱的乞丐在一起都能感到亲近，但和我在一起不。您拼命要理解我，要证明我，使我同化，您说到底有没有把我看成是你们的同类？不，因为如果是这样就没有什么要理解的。经过时怜悯地看一眼，甚或是厌恶乃至恼怒的目光，事情就完了，您也不会再去想它。但你觉得有某种其他的东西，我的生活从本质上与您的生活有着不同，而在您和我之间就像在您和疯子间一样，存在着壕沟，只不过不是同一种壕沟。疯子的生活您可以接受。我的生活，您不能接受。为什么？除非我也是疯子。但您不敢做这样的希望。

配玻璃者：想找麻烦麻烦就来了。

观众：我们问您您过的是什么一种生活，您告诉我们的是这种生活所有的反面。对不起，我希望我没有惹您发火：是一部分反面。这就是所谓的消极人类学。您借机想知道我们对您的情感。我们对此比您更清楚。如果您的确无法回答这个问题的话，干脆直说，我会帮您一把。

维克托：这种生活……

观众：对不起。等一会儿。您现在在说属于您的生活？不是我们的，也不是蜜蜂的？

维克托：我的。

观众：请尽快说。

维克托：这是一种被它的自由所吞噬的生活。

配玻璃者：可以把他杀了吗？这样下去怎么谢幕啊？

观众：让我们再耐心一点。（对维克托）继续吧。

维克托：很快说完。我一直想自由。我不知道为什么。我也不知道自由到底意味着什么。你们就是把我的指甲全掀掉，我也无法告诉你们。不过，如果不用语言来表达，我还是知道它是什么的。我以前一直渴望着它。我现在依然渴望着。我所渴望的只是它。首先我曾经是他人的囚徒。于是，我离开了他们。此外我也曾经是自己的囚徒。这更糟糕。于是，我也离开了自我。（出了一会儿神）

沉默。

观众：这令人兴奋啊。如何离开自我？

维克托：什么？

观众：我说这令人兴奋。继续说。只要对我们说如何离开自我。

维克托：（不连贯地）您接受别人超越生活，或者生活超越您，或者别人在生活中变得顽固不化，条件是为生活付出代价，放下他的自由。他认输了，他死了，他疯了，他有了信仰，一个肉瘤，毋庸置疑。可借助了自由，就不再成为你们中的一员了，这是一种耻辱，一桩丑闻。因此，这是老处女面对妓女的愤怒。属于你们的自由是如此可悲！如此孱弱！如此陈腐！如此丑陋！如此虚假！而你们还这样固守着它！你们对此不发一言！呵，嫉妒，嫉妒！（双手抱住头）

配玻璃者：那么，我们是被固定住了。

观众：固定？固定在什么上面？被我们自己固定？（对维克托）您说下去。

维克托：（抬起头）我没什么要对你们说的了。

观众：有啊！有啊！您要对我们说您是如何离开自我的。这对我的朋友们来说非常有意思。

维克托：让您的朋友们见鬼去吧！

观众：楚奇！（楚奇向前进）

维克托：您真拿我在被胁迫状态下说的话当回事？您完蛋到这个份上了？

观众：我们已经解决了这个问题，在没有您在场的情况下。再说，您只要看到结果就可以了。您说的话是站得住脚的。也许有点浅薄，有点天真，但它站得住脚。我们不需要更多。我们的要求很少，与您想象的完全相反。（对配玻璃的）是这样吗？

配玻璃者：让我安静点。

观众：（对维克托）您离开了自我。这是您这个故事的最新发现。您是如何做到的？

维克托：尽量地什么都不做。不动，不思考，不做梦，不说话，不听别人说话，没有感觉，没有知识，没有意愿，没有能力，等等。我以为这些就是我的牢狱。

配玻璃者：我想我该去吐一吐。

观众：（对维克托）啊，您以为。您已经做到了，一动不动，一言不发，其他的呢？我想，在这两年英雄的岁月里，您应该还是时不时地吃点面包片的。保持自己的纯粹，不去形成任何观念，这应该是有点困难的。在您的睡梦中您走了出来，就像夜里的猫头鹰。姑且不说别人强加于你的拜访，可能您有时也要不情愿地去结识别人。

维克托：需要耐心。

观众：显然，显然，万事开头难。但您总归已经不像以前那样……呃……有被人俘虏的感觉了吧？

维克托：我觉得这是条正确的路。

观众：死亡来得是非常快的，这让您什么想法都没有？

维克托： 如果我死了，我不会知道我死了。这是我对死亡唯一不满的地方。我想享受我的死亡。这也是自由的所在——看着自己死去。

沉默。配玻璃者转过身，掏出手帕打着嗝。

配玻璃者： （擦着嘴）我想这个讨论已经结束了。本质都说出来了。

观众： 我同意您的意见。现在每个人都有他的一点基本原则。把事情再往前推进的话，就会回到云里雾里了。

维克托： 你们知道我对你们说的不是真理。

观众： 真理！（对配玻璃者）您听到了吗？太好了！（对维克托）我们知道，先生，我们知道，您别操心这个。真理嘛，我们会找别人讨教，每个人都有他可请教的人。不，您别为这个烦心。再说，您也不知道真理是什么，我们也不知道。您也许在不知道的情况下已经说出了真理，而且我们也没有意识到。

维克托： 我对你们编了个故事，想这样你们能让我安静点。

观众： 如果您愿意这么说，如果您愿意这么说。也许并不像您想的那样。编造故事不会不遭报应的。无论如何，我们没有要求您更多。您的故事本身一点也不坏，有一点长，有一点招人烦，有一点……蠢，但不坏，一点也不坏，有些地方还很美妙，只要不去近距离看它就行，那些事情我们是从来没有做过的。祝贺您，感谢您，我这就**自行**离开。

维克托：我还有话要补充。

配玻璃者：他疯了。得寸进尺了。

观众：不，不，相信我，别再补充什么了，您会把一切都毁了。

维克托：一句话。

观众：（宽宏地）那么，就一句话，如果您完全遵守诺言的话，但不要多说。

维克托：我弃权。

沉默。

观众：您弃权？

配玻璃者：别这么做，别这么说。在这一切都解决的时候。

维克托：我放弃自由。不可能自由。我错了。我不能再过这种生活。我昨天晚上看到我父亲时明白了这一点。人不能看着自己死去。那是戏。我不……

观众：等等，等等，让我想一想！（他思考着）这把一切都改变了。（对配玻璃者）您觉得呢？

配玻璃者：我只能说他妈的。（停顿）再他妈的。

观众：说到底，为什么不呢？也许这样更好。(对维克托)在这种情况下,您想怎样做?您还要做什么?

维克托: 我不知道。

配玻璃者: (抱怨道)又开始了。

观众: 您不能这样下去了。

维克托: 不,我不能再这样。

观众: 这超越了您力所能及的限度。

维克托: 是的。

观众: 那么,理性一些。要么是生活,包括它带来的一切……一切……束缚,要么……是远离,用您钟爱的那种描述方式来说,是真实。是这样吗?

维克托: 我不知道。

观众: 看哪!

配玻璃者: 他会死的,看现在这架势。都知道为什么。我们走吧。

观众: 要么他可以回到家里,使他的母亲振作起来,将他的父亲安葬,接受遗产,满足他未婚妻的愿望,办个杂志,建个教堂、活动中心、电影俱乐部,做这些我也说不全的事情,死或生,他都属于我们,他重新成为我们的一员。这是所有他需要证明的事。说到底只有我们。甚至做得比这还要好得多。这样更合乎情理。(对维克托)**谢谢**。(他向前进,伸出手)**我的兄弟!**(维克托没有和他握手,也许没有看到手伸过来）不愿意？没关系。一点关系也没有。只是品味的问题。晚安。过来，楚奇。（楚奇不论何时始终微笑。在他的跟随下，观众朝包厢走去）

配玻璃者：从那儿走。（他指着后台）

观众：为什么？

配玻璃者：从那儿走，听我的。（他向前进，威胁地。观众与他对视着，楚奇同样与他对视）您以为我会害怕您这位北京朋友吗？（他向前进）

观众：您的举止令我吃惊。我为您解决了麻烦可您却用暴力来威胁我。

维克托：他从哪儿走又能怎样呢？既然恶已经作了。

观众：恶！这就是您感谢我的方式！

配玻璃者：非法堕胎的家伙！丑八怪！（他向前进。观众和楚奇朝后台退去）小市民！（观众和楚奇迅速下场。配玻璃者抄起椅子，向他们身后砸去，椅子飞入后台。落地后震耳的声音）王八蛋！（他又回到维克托身边）他耍了我们！（他看着地上的台词脚本，拾起来，扔进后台）下流坯！（他恼怒地来回踱着步。停在维克托面前）您两个小时前、两年前不能对我们说这些吗？（停顿）哗众取宠！（他又开始踱步）愚弄人啊！（他在他那些散在地上的工具前停下，厌恶地注视着它们）给我看看这个！

维克托：您再骂我几句。

配玻璃者：我没有捡起它们的勇气。（他用脚尖翻动着工具）我应该拿了钻刀的。（他找着钻刀）晦气。（维克托站起身要帮他找钻刀）您要做什么？

维克托：我找钻刀啊。（他用脚翻动着工具）也许您儿子拿了。

配玻璃者：我儿子？您这么认为？有可能。

维克托：他不在这儿啊。

配玻璃者：我不知道。

维克托：您就让窗子这样？

配玻璃者：是。

维克托：门呢？

配玻璃者：就这样不管了。

维克托：您明天还来吗？

配玻璃者：不。

维克托：那么，做您的事吧。

配玻璃者：我把这些都给您。

维克托：您活儿干得不错。

配玻璃者：是的。（沉默）我不该把您叫醒。（停顿）您那时在做梦吧？

维克托：是的。

配玻璃者：梦见了什么？

维克托：梦见了我父亲。他……

配玻璃者：不，不，别说了，我不喜欢听梦中的故事。

维克托：他在水里，而我在跳板上。那是……

配玻璃者：别说了！

维克托：海里礁石密布。他让我潜水。

配玻璃者：潜水？

维克托：我呢，我不愿意。

配玻璃者：为什么？

维克托：我害怕出意外。我害怕礁石。我害怕淹死。我不会游泳。

配玻璃者：他会救您的。

维克托：他也对我这么说。

配玻璃者：您还是潜水了。

沉默。

维克托：我一直做这个梦。（沉默）您认识那个人吗？

配玻璃者：哪个人？啊，那个。该踢上一千脚的家伙。（他思考着）我的怒火已经熄灭了。怎么会这样呢？

维克托：是谁？

配玻璃者：什么？啊对了。我不知道。纸牌，弹子球，丰盛精致的宴席，盲肠炎，星期六演出后的爱情，怕光，有节制……（他聆听着）有人到楼道上来了。（他轻轻地将门拉开一点，向外看。沉默。他轻轻地将门关上）啊，真他妈的！（他搓着双手）啊，真是个美妙的惊奇。我都不再做指望了。

维克托：是谁？

配玻璃者：是催化剂王国的国王，还有他的女友。他们来了一会儿了。（他思索着）您不想把这桩丑剧看到底吗？

维克托：我不明白。

配玻璃者：对我们说您已经做出的决定。（门被打开一点，配玻璃的冲上去又重新关上。对着门外）等一会儿！会叫你们的！你们再乱摸一会儿！好好地等着！（对维克托）是啊，您已经做好的决定，就像什么杜蓬的两难境地。

维克托：我什么也没决定。

配玻璃者：除了您不能继续这样下去之外。是吗？屁股再顶一下，宝贝。最后一下。啊，轻点。

维克托：我对您说我不知道。您屠杀得还不够吗？

配玻璃者：只是又一个小死尸。这跟您有什么关系？说您要说的。

维克托：我不知道。

配玻璃者：我不知道，我不知道！有人要您知道了吗?(门又被打开了一点,配玻璃的重新关上门。对门外喊)等一会儿!(对维克托)随便说点什么。您是重新回到爵士乐还是狗屎堆?(维克托笑了)您笑了?您竟然敢笑!(他打开门。斯昆克小姐和衣冠不整的比乌克大夫上场)

比乌克大夫:总是这样调皮。

斯昆克小姐:维克托!(她扑到他的怀里。动作艰难)

配玻璃者:(手扑腾着,像蝴蝶飞舞)从一朵花到另一朵花,从这个东西到那个东西。

比乌克大夫:开始工作!我的时间有限。你们干吗要一直这么暗?

配玻璃者:啊,这个扯女人上衣的老流氓,您发生什么事了?您的小老婆正到处找您呢。

斯昆克小姐:(离开床)他浑身是汗!(对配玻璃者)您对他解释了?

比乌克大夫:开灯。

配玻璃者:他母亲怎么样了?

斯昆克小姐:很不好。您对他说了?

配玻璃者:(对维克托)您听到了?您的妈妈快死了。(维克托站起身,漫无目的地在床边走着。所有的人都无声地注视着他。他向他们走去)他的外套丢了。

比乌克大夫:(边歌边舞)

他跳着查尔斯顿舞
跳着跳着就没了长裤

维克托用目光询问着斯昆克小姐,暗指比乌克大夫。

斯昆克小姐:他是玛格丽特的丈夫啊,瞧啊。

比乌克大夫:我介绍自己!安德烈·比乌克大夫,精神病患者。

配玻璃者:还是社会学家。

比乌克大夫:为您效劳。开灯。

配玻璃者:在往远里说之前……

比乌克大夫:开灯。

配玻璃者:马上就开,马上。是的,我有一个很好的消息,还有一个重大的消息要告诉你们。(停顿)这里发生了很多事情,今天下午。令人惊讶的事情。真可惜你们没有在场。如果你们在也许有更好的事可做。(停顿)你们还记得昨天晚上还是一团糟吧?啊,现在,全都走入了正轨,这边一个小邮包,那边一个小邮包,都捆得很好,打上了标签,邮差不会弄错的。至于您的未婚夫,小姐,他已经变成出色的正面人物了。他像在董事会做报告一样向我们做了陈述。(手势)真正的乐事。我要说我们已经被救援了,是的,被一位住在郊外的苏格拉底救援了。他该得到这样的尊称。没有他，我不知道我们是不是能够脱身。（对维克托）您怎么想？

斯昆克小姐：重大的消息呢？

配玻璃者：啊，是的，重大的消息。嗯……您听好了……不，应该让他来亲自告诉您。这个时刻是神圣的。我的嘴会亵渎它。

斯昆克小姐：（对维克托）什么？

维克托：你还在听这个滑稽戏演员表演啊？

配玻璃者：向您表示我的谢意。

斯昆克小姐：那么，这不是真的？

比乌克大夫：我对她说了，逐字逐句地说了："亲爱的奥尔加，我亲爱的小奥尔加，您需要我帮您吗？我要为您做什么？让您平平安安？扑进您美丽的臂膀？啊，亲爱的奥尔加？"（停顿）她都明白了。

配玻璃者：（对维克托）您听到了吗？她做了多么风雅的事啊！为了您能活下去！丑陋！

比乌克大夫：就说了这些。（他沉思状抓着脑袋）没别的。

斯昆克小姐：遗嘱已经被宣读过。没给你留任何东西。你没被当作继承人。

配玻璃者：要撞墙！要撞墙！

比乌克大夫：玛格丽特，好像有……（他寻找着）有酒椰。

配玻璃者：（对斯昆克小姐）您很平静。

斯昆克小姐：哦，没什么好怕的。一切都安排好了。您一点也没对他说？

配玻璃者：我们现在知道他行为的动机。现在我记不起来是什么，但如果您对这个感兴趣，我也许能回想得起来。（停顿）我们同样知道这两年来他追逐的目标。他以令人难忘的语言描述了这个目标——可是我忘了。（停顿）我们知道……（对浑身乱动、独自在一边嘟哝着的比乌克大夫道）安静点！……我们知道……您听好了……您听好了吗？……注意惊人之处……我们知道……（停顿）他不再追逐目标了。（沉默）多大的成功啊！（猛烈地）可您没有听明白是吗？

斯昆克小姐：不是很明白。

配玻璃者：可您是一点没听！

斯昆克小姐：我累了。

比乌克大夫：不要腻烦。经典的回忆。

配玻璃者：他放弃了！结束了！他搞错了！他被打倒了！被一拳击倒在围绳上！完了！他被击败了！他承认了。您去问他。

斯昆克小姐：真的吗，维克托？哦，对我说这是真的。

配玻璃者：他昨天夜里去看他父亲了。这给了他最终的一击。我一直说只有这样才能制服他。

斯昆克小姐：维克托！我的亲爱的！结束了？你完了？哦，多么让人高兴啊！

维克托：什么？

斯昆克小姐：你不想再这样生活下去了？说这是千真万确的！

比乌克大夫：安静！够了！别说了！开始工作！有来有往！开灯！（配玻璃者打开灯。比乌克大夫靠近维克托，近距离地看着他）一张怪脸。

斯昆克小姐：也许现在……

比乌克大夫：安静！在我工作的时候，要安静！（对维克托）先生，我很快就说完。您不想活了。您想死吗？（他举起手）思考一下。

维克托：您插进来做什么？

比乌克大夫：自然一些。别害怕。放松点。这是唯一的机会。

维克托：谁对您说我不想活了？您知道什么？您把"这个"叫什么？（他伸出一只抖动着的手）芦苇丛中的风？

比乌克大夫：先生，我因为姻亲的关系，进入了您的这个阴森可怖的家庭。滑稽的游戏。我在这个都市四十八个小时以来，听到的只是关于您的事。一些愚蠢的事。我听着。我得出了自己的结论。我只看到了一样东西：困境。我跑了过来。我来看您。一个聪明、极度敏感的男孩,非常独立的性格,有着强健的或者说没有受过任何伤病损害的身体,不会变通,只是找寻着他的道路。生活的迹象已经减少到最小。出于什么目的?这与我无关。我看的是趋势和运动轨迹。这到底是怎么回事?(停顿)先生,一个像您这样的人,只要他手里有三克吗啡,就能在虚幻中行动起来。(停顿)您不接受我的用词?别这样!最纯粹的意识行为,最崇高的飞跃,是肉体。(他双手抱住头)号叫吧,号叫吧,您和我同样清楚地知道,这都写在您的粉刺里呢。(停顿)这绝对不痛,您会看到的,您不会有哪怕一刻的不舒服。

维克托:我看不出有什么关系……

比乌克大夫:您真想知道它是怎么回事?这样一个不值钱的小玩意?不,您在犹豫。很简单。听我说。人们……(他略朝观众转身,清清嗓子,以一种播音员的语调)我来说说对于男人的一点个人印象。呃!最上面是头发。这就到头了,看不了更远。还有,他的状态令他反感,多多少少令他反感。太多了也太少了。可他任其这样,因为他身上有逆来顺受的本性,就像是在蒙昧时代的人,一种大胆的忽略方式!让他保持原样,屈从于他的处境!

不。他还会说它的好话！他鼓吹它！他会将它投射到臭氧后面。他要是与之分离会依依不舍！啊，浑蛋！他最后拿自己与鼹鼠和苔藓相比！真恶心！（停顿）作为结束，还有一件我经常注意到的事，他总是惹事。惹是生非！（他紧抱住脑袋）他惹事！惹是生非！（对维克托，情绪激动地）您别像他们那样！您别放任自流！别像许多有希望的年轻人那样，闪了一下，闪了一下，然后就不见踪影了。走了弯路，这不要紧。来吧！来一次伟大的拒绝，不是小的，是伟大的，这只有男人才能做得到，也是他能做到的最光荣的事，对生存的拒绝！（擦拭着前额）

斯昆克小姐：慢一点，慢一点。

配玻璃者：他有点激动，毫无疑问。真是油嘴滑舌！他好像是跑销售拿佣金吃饭的。

比乌克大夫：（手伸进口袋里摸索着，掏出一粒药片，用拇指和食指捏着，在空中停留了一段时间）自由！

配玻璃者：猪头！他找到要拿来用的词了。

比乌克大夫：拿着！（他把药片递给维克托。维克托接过药片，站起身，走到灯光下。斯昆克小姐焦虑地跟着他）

斯昆克小姐：（对在原地不动的比乌克大

夫)大夫!

配玻璃者: 注意了!

维克托: (读道)"罗讷省产阿司匹林"。您拿我开心呢!

比乌克大夫: (冲过来)什么?(他急忙拿回药片,仔细审视着)他说得对!什么鸟脑袋!(他拍打着脑袋)这个,这是我吃的啊。(他吞下药)老家伙,懦夫,坏蛋,败类,完蛋的人,他们该吃阿司匹林。但对于**你们**……(他在口袋里摸索着)对于你们,年轻人,虔信的人,属于未来的青年……(他掏出药片,正确的那粒药片)我们有别的……(他展示着药片)完全不同的东西!……对不起。(他抓过维克托的手,将药片放在他手上)多么可爱的一刻!这只手是这样热,这样有活力!(关心地)您发烧了吗?

维克托: (看着药片)吞服的吗?

比乌克大夫: 这不是栓剂,先生。

配玻璃者: 注意了!注意了!

斯昆克小姐: 维克托,把这个给我。

比乌克大夫: 加点凉水,如果可能的话。

维克托: 有什么样的保证?

比乌克大夫: 保证什么?

维克托: 效用。

比乌克大夫: 以我这个职业工作者的身份

来担保，先生，何况我是个诚实的人。看着我！（维克托看着他）您看到这只眼睛了吗？这就是您的保证。

维克托：我相信您。

比乌克大夫：谢谢。

维克托：您应该为这个花了不少心血。

比乌克大夫：这对您有什么意义吗？

维克托：显然，什么意义也没有，我努力去理解它。

配玻璃者：他也来了！也来胡说八道了！

比乌克大夫：（带着怒气）啊，你们都一样！还给我。（他伸出手）

维克托：我留着它。我要想一想。（停顿）不，我要对您坦白，一切都想好了。我不需要这个。不过我还是留下它。

配玻璃者：好了。向各位表示庆祝。（对斯昆克小姐）您现在幸福了。您只要在他睡觉的时候，在他吃饱了饭睡得很香的时候，把这个药片拿过来，放到抽水马桶里，连别的脏东西一起冲掉。

比乌克大夫：我真觉得恶心。（停顿）非常恶心。

配玻璃者：我也恶心，是您让我恶心。

斯昆克小姐：（抓住维克托的胳膊）过来！

配玻璃者：多么平静！多么镇定！

比乌克大夫： 她有轻度的性冷淡症状。

维克托： "过来"？到哪儿？

斯昆克小姐：（兴奋地）和我在一起！面对生活！心手相连！太阳升起来了！

配玻璃者： 我们的时间到此结束。无照行医的安慰方式您是不愿意的。那么，您走吧！和她一起走，既然她在这儿。你们一起走一段路。

比乌克大夫： 娶她！搞大她的肚子！享受吧，欣喜若狂吧，回忆吧，笑弯了腰吧，去死吧！

维克托： 这里有个错误。我会留在这儿。

沉默。

斯昆克小姐： 可是……！

维克托：（断断续续地说着）我改变了主意。（沉默）两年，太少了。（停顿）人生，太少了。（停顿）我的生活将是漫长而可怕的。（停顿）不过没有你们的人生那样可怕。（停顿）我永远也不会自由。（停顿）但我会不停地感到，我将变得自由。（停顿）我的生活，我会对你们说我将如何消磨它——我会拿两块铁相互摩擦。从白天到黑夜，从黑夜到白天。这种无用的小小声响，将是我的人生。我不是说我的乐趣。乐趣，我还是留给你们。我的宁静。我的虚无。（停顿）可你们来对我说爱情，说理性，说死亡！（停顿）不，还是你们走吧，你们走吧！

比乌克大夫：说的是什么啊，这段故事？（对斯昆克小姐）您需要我给您出具一张精神病证明吗？

配玻璃者：如果说一种前景，这就算一种前景。（停顿）我不清楚我要的是什么，不过就算我得到了想要的东西，我也不会感到惊奇。

斯昆克小姐：一切都完了。

配玻璃者：（不安地，对维克托）您不会再跟我们开玩笑说，您又改变主意了？

维克托：什么？

比乌克大夫：这是精神分裂症。

斯昆克小姐：我们走吧。

配玻璃者：您说得对，他已经走了。

斯昆克小姐：（对配玻璃者）您认为他还会再改变主意吗？

配玻璃者：我不这么想。但我总是弄错。（对维克托）要是您又改变了主意，您会向她表示吗？（沉默。配玻璃者抓住维克托的手臂）说啊？

维克托：您说什么啊？

配玻璃者：如果您又改变了主意，您会对小姐表示吗？

维克托：是的，会的，我会向她表示的。

配玻璃者：(对斯昆克小姐)您看,他会向您表示的。(停顿)别哭啊!

比乌克大夫：出于对圣安妮的热爱,让我们离开这个小棚屋吧。我渴得要命。(沉默)我请你们吃饭。

配玻璃者：您请我吃饭?

比乌克大夫：你们两人都请。

配玻璃者：为什么请我?

比乌克大夫：我喜欢有人看我们嬉戏。然后你再打车把我们送回去。

配玻璃者：不可能。我要照顾米歇尔。

比乌克大夫：米歇尔?

配玻璃者：我儿子。他生病了。

比乌克大夫：那好,我们先去看您的儿子。我们会给他吃一粒镇静剂。然后我们再去美餐一顿。但是要注意:是三个人。(停顿)牡蛎,我想吃牡蛎,美妙得不可思议!

配玻璃者：在坟墓上面跳舞,没有比医生做得更好的了。

比乌克大夫：那您想让我做什么?要我把胡子拔光不成?走吧。

配玻璃者：(对斯昆克小姐)别哭了。没他的事了。

斯昆克小姐：再见了,维克托。

比乌克大夫：过来。(他把奥尔加拉到门旁边）我们会发现别的事情。（他转过身来）我现在处于清醒的状态，太好了。应该为此干一杯。

　　斯昆克小姐和比乌克大夫下场。维克托站着，仿佛凝固了一样。配玻璃的靠近他。

　　配玻璃者：您不恨我吧？（沉默）我尽我所能了。（沉默）我留给您我的名片。（他递过他的名片。维克托没有接过去，也许他并没有看到。配玻璃者将名片放在床上）把您的手递给我。（沉默）维克托！

　　维克托：什么？

　　配玻璃者：我要走了。把您的手递给我。

　　维克托：我的手？在这儿呢。（他伸出手。配玻璃的握住他的手，紧握着，吻了一下，松开，匆匆下场）

　　维克托看着他那只停在半空中的手，又伸出另一只，摊开手心，看着；看到了药片，将药片扔掉，两只手贴在一起摩擦着，用脚穿上鞋子，走着。过了一会儿，他坐在床上。他看见了杯子，扔了出去。他站起身，走到电灯开关旁，关了灯，回到床头坐下。看着床。看到了配玻璃者的名片，拿起来，看着，扔了出去。整理被子。听见脚步声。卡尔太太上场。她打开灯。

　　卡尔太太：怎么样？

　　维克托：什么？

卡尔太太：您想就这样离开这儿？

维克托：是的，就这样。您想干什么？

卡尔太太：我要您给我个回答。您是留在这儿还是离开？我房间里有三个帮手。

维克托：我留下来。

卡尔太太：那么，给我钱。（维克托站起身，在裤子口袋里摸索着，掏出一堆皱巴巴的纸币，递给卡尔太太，继续在口袋里摸索着，掏出了些硬币，又递给卡尔太太。她点着钱。点钱的声音）还差一百四十个苏。

维克托：我就这么多了。

卡尔太太：账没有结清。

维克托：下次再补给您。（停顿）把那些工具拿去卖了。应该能值几个钱。

卡尔太太：工具？什么工具？（她看到了工具，然后走近细看）可这不是您的啊。

维克托：他给我了。

卡尔太太：这是别人的东西！他为什么要给您这些？

维克托：我也不知道。他给我了。拿去吧。（他看到配玻璃者的名片，拾起来，递给卡尔太太）这是他的名片。您问他好了。

卡尔太太把名片放进口袋，弯腰拾起工具，放进工具箱。

卡尔太太：这地可真够低的！（她站起身，

将工具箱夹在胳膊下面)

维克托：要是您看到有钻刀的话，给他留下来。他需要这个。

卡尔太太：什么钻刀钻石的？您又和我乱讲些什么？（沉默）什么钻刀？

维克托：我不知道。我想是一种工具吧。问问别人。（卡尔太太看着他，耸耸肩膀，向外走）卡尔太太。（她转过身）您在楼道里有没有看见一件夹克？

卡尔太太：夹克？什么夹克？

维克托：我找不到我的夹克了。我想我丢在楼道里了。如果您看到了，您也可以拿去卖。（停顿）是栗色的，我想。

卡尔太太：您没有完全精神失常吧？

维克托回身坐在床上。他看着被子。卡尔太太看着他。

维克托：卡尔太太。

卡尔太太：怎么了？

维克托：卡尔太太。

卡尔太太：**怎么了**？

维克托：您可以再给我一床被子吗？

卡尔太太：为什么？您睡觉时觉得冷吗？

维克托：是的。

卡尔太太：哎哟，马上就快到春天了。（沉默）您要吃东西吗？

维克托：不。

卡尔太太：我做了很好的汤。（沉默）来片面包？（沉默）您要生病的。（沉默）我可不会照顾您的。（沉默）真可怜！（她下场）

维克托坐在床上。他看着床，看着房间、窗户和门。他站起身，将床推到房间的最里头，尽可能地离门和窗户远，也就是说靠近舞台上朝着观众席包厢那一侧的脚灯。他推得非常艰难。他推着、拉着，时不时还停下来，在床边坐着休息一会儿。看得出他不强壮。他最终还是完成了。他坐在床上，现在床和舞台的成排脚灯平行。过了一会儿，他站起身，走向电灯开关，关上灯，朝窗外望去，又回来坐在床上，面朝观众席。他认真地朝观众席看着，先看正厅前座的观众，再是剧场的楼厅（如果有的话），看看右边，看看左边。然后他躺下来，瘦削的躯干背对着人群。

落幕

图书在版编目（CIP）数据

贝克特作品选集. 2，自由／（爱尔兰）贝克特（Beckett，S.）著；方颂华译. —长沙：湖南文艺出版社，2013.12（2025.6 重印）
ISBN 978-7-5404-6462-2

Ⅰ.①贝… Ⅱ.①贝… ②方… Ⅲ.①文学 - 作品综合集 - 爱尔兰 - 现代②话剧剧本 - 爱尔兰 - 现代 Ⅳ.①I562.15

中国版本图书馆 CIP 数据核字（2013）第 262013 号
著作权合同登记号：图字 18-2013-205

贝克特作品选集 2
BEIKETE ZUOPIN XUANJI 2
自由
ZIYOU

著　　者：[爱尔兰]萨缪尔·贝克特	
译　　者：方颂华	
出 版 人：陈新文	监　　制：谭菁菁
责任编辑：冯 博　李 颖	责任校对：艾　宁
特约编辑：陈美洁　黎添禹	装帧设计：CANTONBON

出版发行：湖南文艺出版社
印　　刷：长沙超峰印刷有限公司
经　　销：新华书店
开　　本：787 mm×1092 mm　1/32
印　　张：6.25
字　　数：100 千字
版　　次：2013 年 12 月第 1 版
印　　次：2025 年 6 月第 2 次印刷
书　　号：ISBN 978-7-5404-6462-2
定　　价：39.00 元